新　潮　文　庫

愛　と　死

武者小路実篤著

新　潮　社　版

423

愛と死

一

これは二十一年前の話である。しかし自分には忘れられない話である。自分が野々村《ののむら》を初めて訪ねたのは二十五の時だった。当時のことは今でも忘れない。

その時野々村は三十で、もう小説家として新進というよりも、もっと大家《たいか》のように僕《ぼく》には思えた。今思うと少し可笑《おか》しいが、当時は三十にもなればもう一流の作家になれた時代で、野々村なぞ二十三四で有名になり、三十位の時はもう大家の域に達しかけていた。少くとも野々村のものを前から愛読していた自分にはそう思えた。だから実際いうと野々村はもっとずっと齢上《としうえ》の男だと思っていた。逢《あ》って若いのに驚《おどろ》いたものだ。

野々村を僕が訪ねることになったのは、当時、僕はかく小説、かく小説悪口をいわれていたが、不思議に野々村はいつも僕のものを褒《ほ》めてくれた。それで僕は最初の単行本を野々村に敬意を示して寄贈《きぞう》したら、随分厚意《ずいぶんこうい》を持った批評《ひひょう》をもらい、その上暇《ひま》の時遊びに来ないかと書いてあった。

それで自分は喜んで、同時にいく分恐《おそ》る恐る訪問したのだった。

逢えば気楽な男だった。今でも僕は野々村のことは野々村さんと言っているが、気持の上では当時からすっかり友達《ともだち》のような気になり、平気で生意気なことも言える仲になった。この位気のおけない何でもわかってもらえる友達には滅多《めった》に会えるものでないと僕は喜んでいる。

二

野々村もへんに僕を認めてくれた。買いかぶっているという言葉はつかいたくないが、他《ほか》の人達はそう思っているだろうと思う程《ほど》、僕を認め、他の人が欠点だと思う処《ところ》まで、僕の長所だと認めてくれた。

ここでは野々村のことを書くのが目的ではないが、野々村が僕に厚意を持ちすぎていることが、話の起る一つの原因であるから、その点を強調しておくので、僕が有望な人間だったということを主張しようとは思わない。又《また》強くならざるを得ない。無責任な他人のいうことを一々気にしていたら、人間は落ちついて生きてはゆけない。

自分をいつわって生きてゆくのには、世間や他人を信用していない。

三

野々村は不思議な男というか、天探女《あまのじゃく》というか、他人の賞《ほ》めないものを感心しすぎる処があるかも知れない。ともかく僕は野々村が好きになって時々出かけたのだ。

野々村もいつも喜んで逢ってくれた。

野々村の処へ或《あ》る日ゆくと、五六人の女学生が庭で遊んでいた。別に気にもしていなかったが、あまりにさわぎがひどいので、一寸《ちょっと》その方を見ると、二人の女が逆立ちの競争をしているのだ。

一人の方が勝って皆から拍手《はくしゅ》をうけていた。

「しようがない奴《やつ》だよ」と野々村は言った。

何のことを言っているか僕にはその時わからなかった。

だが元気な女もいるものだと思った。

四

或る日野々村の処へゆくと門の処で、背のすらっとした快活な、しかしいかにも未《ま》だ蕾《つぼみ》だとしか思えない十七八の女の子に逢った。

僕を見ると丁寧《ていねい》にお辞儀《じぎ》した。何処《どこ》か野々村と顔が似ているので、僕も野々村の妹だと気がついて丁寧にお辞儀した。娘は馳《か》けだすようにして外へとんでいった。

これが野々村の妹で、この前逆立ちに勝った女だということはあとで知った。僕はその後も野々村の妹に時々あったわけだが、記憶《きおく》に一番よくのこっているのはその二度である。

しかしそれから二三年別に野々村の妹の存在を認めていなかった。野々村の妹は美しいと誰《だれ》かが言っているのを聞いたこともあるが、それは僕には別に問題にはならなかった。

僕も美しいと思ったことはあるが、しかし僕とは関係のなさすぎることだと思ったから別に注意をしなかった。又滅多《めった》に逢うこともなかったし、あまりに若くもあり、問題になりもしなかったし、尊敬する友達の妹をそういう目で見たいとも思わなかった。

野々村はある時、「僕の妹は君のものを愛読している」と言ったことがあったが、僕はそれを無頓着《むとんちゃく》に聞き流すことにしていた。

一二年の間に、齢《とし》と言うものは不思議な働きをするもので、野々村の妹もすっかり女らしく美しくなり、或る日往来で逢った時は、似てはいるが、他人だと思った。野々村の妹がこんなに美しかったはずがないと思ったのである。僕は黙《だま》ってゆきすぎようとしたら、その女があわててお辞儀したので、僕は自分にしたのではないと思い、うしろを見たが自分より他《ほか》に人がいないので、やはり野々村の妹だと思ってあわててお辞儀したが、その時はゆきすぎたあとで、野々村の妹はそれを知らなかったろうと思った。残念にも思い、わるかったとも思った。

それから二た月程たった時、野々村の妹が三四人の友達と銀座を歩いているのを見たが、僕はお辞儀しようと用意していたが、野々村の妹は気がつかない顔をしてゆきすぎた。

自分は嫌《きら》われているなという感じを受けた。

「勝手にしろ」

美しく思え、お辞儀してもらいたかった反動でそんなことを感じた。もうお辞儀なんかしてやるものか。そんな子供らしい感じを持った。

しかしその時は本当に気がつかなかったのだとあとで聞いた。それは本当らしく、その後又一二箇月《かげつ》たって野々村の家のそばで逢った時、野々村の妹は丁寧にお辞儀した。

僕はそれですっかり機嫌《きげん》をなおしたらしく、

「お兄さんはおうちですか」と聞いた。

「ええ、うちにおります」

二人はそのまま別れたが、僕はいい気持になったのは事実だ。

しかしそれからずっと逢わなかった。別に逢いたいとも思わなかった。かくて野々村の第三十三回目の誕生日《たんじょうび》が来た。それは二月二十五日で僕にはその日は忘れられない日になった。

五

野々村の誕生日には野々村を中心として集っている若い文士達が野々村の処《ところ》に集って、いろいろかくし芸なぞして愉快《ゆかい》にくらすのが例になっていた。僕は野々村の処に集る連中にあまり好きでない人がいるので、ゆかないようにしていたが、その日は何ということなしに行く気になった。

僕が行った時はもう五六人が集り、愉快な話をしていた。僕もそのなかに入り、気の合った連中と話をしていた。

その内に皆集ったというので、十五畳《じょう》の、いつも集合につかう広間の設けの席についた。両側に向いあって坐《すわ》った。野々村の妹も、末席にひかえて居た、他《ほか》に女の弟子《でし》が二人ばかり来ていた。

簡単なサンドイチや、すしなどが出てい、又菓子《またかし》や果物が出してあった。酒も出た、僕は酒がのめないので食う方を専門にした。その内余興が始まった。段々順にやることになり、僕の処に順番が廻《まわ》って来そうになった。僕はそれには閉口だが、断ればいいと思って度胸をすえていた。ところが皆芸人で誰一人断るものがなかった。そして遂《つい》に僕の処に来た。

僕は何にも出来ないから許してくれと言ったが、皆は承知しなかった。僕は真赤《まっか》な顔して、閉口した。何かやれたらやりたいと思ったのだが、いくら考えてもやれるものはなかった。

すると誰かが「豚《ぶた》の泣き声でもするといい」と言った。皆笑った。

殊《こと》に前から僕に厚意をもっていない四五人の仲間は、僕が弱れば弱るだけなお責めよせてくる。

「皆の前をはって歩くだけでもいいじゃないか。出来ないというわけはない」

「許してやれよ」と野々村が言った。

「だめです――だめです。そういう先例が出来るとあとのためによくありません」

僕はますます閉口した。額から汗《あせ》が出て来た。

「早くやれよ」

「もったいをつけずに」

僕は益々《ますます》出来なくなった。この時、野々村の妹が言った。

「私がかわりをするから許して上げなさい」

皆、思わぬ処に援兵《えんぺい》が出たのに驚《おどろ》いた。

「私じゃいけません？」

「あなたではよすぎますよ」

「よすぎるならいいでしょ」

「逆立ち」と誰か言った。皆笑った。

野々村の妹は立ち上ったかと思うと、皆の前に走って来て、実に立派《りっぱ》に宙がえりをうった。その意外と鮮《あざ》やかさには皆おどろいて、大拍手喝采《かっさい》だった。僕は一時に溜飲《りゅういん》がさがった思いで泣きたい程《ほど》、嬉《うれ》しく思った。

野々村はおどろいて言った。

「おてんば、いつそんなものをならったのだ」

皆笑った。

「いつだか知らないわよ」とわざと乱暴に言った、その表情を僕はたまらなく可愛《かわい》く思った。

皆笑った。

「それだけ出来れば飯《めし》が食える」

「まさか」と野々村の妹は兄を睨《にら》んだ。

皆笑った。それで白けかけた座が一時に又快活になり皆元気になった。その内に野々村の妹の番が来た。誰かが

「もう一遍宙《いっぺん》がえり」と言ったが、野々村の妹は今度はすまして歌をうたった。それも仲々《なかなか》見事の出来で、皆御世辞でなく感心してしまった。

僕《ぼく》はそれ以来、野々村の妹のことが忘れられなくなった。そして野々村が「夏ちゃん」と妹を呼んでいるのを聞いて夏子だという名をおぼえた。

六

それから十日ばかりたったある日、僕は野々村の処《ところ》へ行こうと思って出かけると、途中《とちゅう》でばったりおあつらえむきに夏子に出あった。二人はなれなれしくお辞儀《じぎ》した。

自分は野々村の誕生日《たんじょうび》以後この時初めて夏子に逢《あ》えたのだ。

「先日はどうもありがとうございました」

「本当に御迷惑《ごめいわく》でしたね」

「僕はあんなに閉口したことはなかったのです」

「私もはらはらしましたわ。その内とうとう義憤《ぎふん》を感じてついあんな出すぎたことをいたしまして、あとで先生が怒《おこ》っていらっしゃりはしないかと気になりましたわ」

僕は初めて夏子と話をして嬉しかった。しかし先生といわれたのには驚いた。しかしまだよく知っているわけでもないので、それに抗議《こうぎ》を言うわけにもゆかなかった。

「怒るどころですか。本当に助かって、あんなに痛快《つうかい》に思ったことはありませんでした」

「それをうかがって私安心しましたわ」

「あなたの宙がえりのうまいのには驚きましたよ。あれだけうまくなるのには随分《ずいぶん》修業《しゅぎょう》したでしょう」

「ええ。私の同窓に軽業《かるわざ》を見て来た人があって宙がえりの話をしておどろいていたのを聞いている内、そんなこと私にだって出来るわ、と言ってしまったのです。するとその友達がやって見ろと言うのでしょ。私はわざとぐずぐずしていました。すると出来ないと思ったらしいのです。私はお転婆《てんば》ででんぐり返しがすきで子供の時よくやっていたのです。その或《あ》る時偶然《ぐうぜん》勢いがよすぎて宙がえりをしてしまったのです。そして母に自慢《じまん》してやって見て、さんざん怒られたことがございます。しまいには母は泣いて、もうしないと誓《ちか》いなさいと言うのです。首を折ったらどうすると言うのです。それで私はその時までしなかったのですが、その時つい母への誓いをやぶってやって見せたのです。皆すっかり驚いて、はやすもので、得意になってそれからたのまれるとやって見せるうちにうまくなってしまったのです。あの日もあとで母から随分叱《しか》られたのですが、兄が味方してくれたので母もとうとう仕方がない子だねとゆるして下さったので、私はやっと安心しました」

夏子はそう言って笑った。

野々村の家は思ったより近かった。

七

その後、僕は芝居《しばい》を見に行った時、夏子は兄や、その他二三人の男の友達《ともだち》と見に来て、相変らず快活にしゃべっているのが、遠くから見えた。

自分はそれを無関心で見ていようと思ったが、無関心でいられなくなっていた。いつのまにか僕は夏子の事を想《おも》うようになっていたらしい。しかし自分の許嫁《いいなずけ》でもなく、自分の方で少し気があるだけで、夏子の方では何とも思っていないことはたしかだったし、僕は女に好かれない自信があったから、別に気にもしていなかったし、夏子に近づこうとも思わなかった。

まだ自分には結婚して一家をもつだけの自信もなかった。自分は仕事本位の生活をしていた。夏子が感心しないではいられないものを書こうという内心の野心はもっていたが、それはただ一種の征服慾《せいふくよく》にすぎなかった。若い時の自分は征服慾が何よりも強かったと言いたい位で、何か不平があったり、不快があったりすると、自分の仕事でそれを征服したいと思った。いい仕事をすること、それだけが自分に許されている事だと思った。しかし実はこれが一番難かしい仕事なのだが、若い時はそんなことは考えなかった。

見るもの聞くもの癪《しゃく》の種であり、征服される為《ため》の存在のように思えた。自分より偉《えら》い人間がこの世に居ることにも嫉妬《しっと》を感じた。それに成長慾が強かった。夏子も自分の仕事をさす力のある存在として認めたが、それ以外のものとして認めることを恥《は》じた。それは柄《がら》にあわない、手のとどかないものをほしがる、虫のいい人間に思えた。

僕は野々村をさえ征服することを欲《ほっ》した。自分の頭の上に枝《えだ》を出している樹木は、生長する樹《き》にとってははらいのけられなければならない。僕は、誰《だれ》も自分の頭の上に枝を出すのが許せなかった。そういう態度が何処《どこ》かにあらわれた。

野々村は寛大《かんだい》な男だから、それも面白《おもしろ》い、俺《おれ》は喜んで負けるよというような顔をしている、それが僕にはなお腹が立つ時もあった。野々村は方々の雑誌に原稿《げんこう》をたのまれ、従って金が入るようになったので生活も贅沢《ぜいたく》になり、従っていくらか乱作をするようになった。

「馬鹿《ばか》な奴《やつ》だ」

僕は内心そうも思った。しかし読めばやはり何処か感心しなければならなかったし、自分には書けない美しさがあった。ゆったりしていた。大きい処《ところ》があった。僕のものはそれに比べると息苦しかった。

「まだだめだ」そう反省しないわけにはゆかなかった。

しかし自分は自分の頭を押《おさ》えつけない、自分をよりよく生かしてくれる大家《たいか》は尊敬した。

殊《こと》に外国の作家には安心して感心した。しかしそういう大家にも征服慾を感じないというわけにはゆかなかった。日本からすぐれた作家が出るのは今だ。なぞと僕は書いていたが、それはとりもなおさず、待たれている作家は自分であるということを自覚したかった。

齢《とし》をいくらかとった今、それを考えると、可愛《かわい》いというよりは、憎《にく》らしい若者だったように思われる。それも過ぎた話ではあるが。

八

野々村がある時こんな随筆《ずいひつ》をかいた。

「自信の強いことはいいことだが、他人の長所を認めないことで自信を無理につくろうとするのは醜《みにく》い。他人の長所は何処《どこ》までも認め、又《また》他人を何処までも成長させて、他人の価値を十分認めての上の自信は美しい。しかし本当の自信が持てないものは、とかく他人の長所を見ずに短所を見出《みいだ》してはかなき優越感《ゆうえつかん》をたのしむ」

僕はそれを見た時、顔が赤くなった。自分にあてつけられたような気がしたから。

其処《そこ》で僕は腹をたててこんな出たらめを書いた。

「山は高きをもって貴《たっと》からず、木は生長力で価値のきまるものではない。これは本当だ。しかし生長のとまった木は生長力の強い木を見て、反省力が弱いので高くなれると思っている。高いから価値はあるとは言えないが、高い山は低い山を見れば低く思うのはやむを得ない」

野々村から手紙が来て、

「自信の強いある男のことを皮肉ったのは君のことではない。君は僕の価値を認めてくれていると僕は今でも自惚《うぬぼ》れている。あれを君を皮肉ったものととっているらしいのは、僕の友情と、信頼《しんらい》を過小視しているように思えて心外だった。しかし少しでも君に不快を与えたのなら心苦しい。是非近い内に遊びに来てほしい。僕の妹はこの頃《ごろ》はすっかり君のものの愛読者になっている。君がどうして来ないのかと気にしている」

自分は早速出かけた。野々村は大いに喜んで僕を迎《むか》えてくれた。

「生長力がとまった木は少し可哀想《かわいそう》だよ」と野々村は愉快《ゆかい》そうに言った。

「本心ではそう思ってはいないのだよ」

「しかし当らずと雖《いえど》も遠からずだ。僕もうんとしっかりやるよ」

野々村はそう言った。その時夏子は居なかった。

九

自分はその夜、寄席《よせ》に行った夢《ゆめ》を見た。

すると夏子が高座に出て道化《どうけ》になって逆立ちをしたり、宙がえりをしたりした。

そして僕の方を見て微笑《びしょう》した。それが又《また》へんに魅力《みりょく》があった。目がさめてもその姿が忘れられなかった。

自分は誰にもその話はしなかった。

一〇

それから二三日して野々村の処《ところ》にゆくと野々村は留守だった。帰ろうとすると夏子が出て来た。

「兄はすぐ帰って来ますから、上って待っててください」と言った。

自分はすなおに上ることにした。夏子は自分でお茶を持って来たり、菓子《かし》を持って来たりした。

「今日は私一人留守番ですの」と言った。

「野々村さんはすぐ帰るのですか」

「存じません」

「さっきあなたはすぐ帰るとおっしゃったでしょう」

「そう言わないと先生がお帰りになりそうだったので、一寸《ちょっと》嘘《うそ》を言ったのです。しかしもうじき帰るだろうとは思っていますの。だが気まぐれさんで、お友達が多いでしょう、あてにはなりませんわ。そのくせ先生をお帰ししたあと、帰ってくると、なぜ帰したと怒《おこ》るのですから、嫂《あね》とも、本当に男の方は虫がいいと申すのですよ」

「女も存外虫がいいのではないのですか」

「誰《だれ》でも叱《しか》り手がなければ虫がよくなりますわね。兄は遠慮《えんりょ》する人がないのですから、益々《ますます》虫がよくなるのですよ」

「野々村さんは怖《こわ》い人はないのですか」

「一人きり。誰だかおわかりになって」

「死なれたお父さん」

「いいえ」

「お母さん」

「いいえ」

「生きている人ですか」

「ええ」

「日本の人」

「ええ。おわかりになったでしょ」

「わかりません」

「ここにいる方《かた》」自分ははっとしたが、わざと白ばくれて言った。

「あなたですか」

「どうですか」夏子はずるく笑った。

「兄はへんにあなたを怖がっているのです」

「あなたは」

「私には何にもわかりませんわ」

「あなたのお兄さんを僕《ぼく》は尊敬しています」

「本当に」

「本当ですとも」

「腹の底から」

「え」

「軽蔑《けいべつ》もしていらっしゃるのでしょ」

「なかなか」

「兄はそう言っていましたわ。あなたはあなたのもっている一番いいものを文学で
あらわすか、何か他の形であらわすか、それはわからないが、何か変な力を持って

いるって」

「それは野々村さん自身のことを言っているのですよ。人間は皆《みな》、自分のことを言うものです。しかし私は文学者としては未熟者で一生終ることを、自分で心配していることは事実です。最後のものが言葉になることを望んでいますが、それが出来るかどうかは僕にはわからないのです」

「兄はいつかこんなことを言っていました。私は最後の人間に望みを置いている。その人が私達の実現したいことを実現してくれるだろう。尤《もっと》もそれは私の夢だが」

「野々村さんが本当にそういう夢を持っているのなら仕合《しあわ》せな方だと思いますね」

「なにかの時一寸そんなことを考えたのかも知れません。いつかこんなことを言っていました。俺《おれ》は最後の人間にはなりたくない。それは俺よりも万倍も賢《かしこ》い男か、万倍も馬鹿な男でなかったら気が狂《くる》うだろう。其処《そこ》には人間の言葉の通じるものはないのだ。無心になり切れた男だけが、其処に安坐《あんざ》していられる。食うことはどうするのだ、と誰かが言ったら、その時は人間は空気や水や植物、土などからすぐ食物をつくり出すことが出来る時だから、坐《すわ》っていても食えるのだ、と兄は笑って言いました」

「あなたはどうです」

「私はいやです」

「今の時代はどうです」

「他の時代は考えられません」

「あなたは今一番たのしい時ですね」

「どうしてです」

「愛するもので一ぱいだから」

「私は今が一番いけない時と思いますわ」

「どうして」

「いかりのない船のようなものです。私は一層《いっそ》、役者か、芸人になりたいとよく思いますの」

「野々村さんは何とお言いです」

「結婚する気がないなら、それもいいだろう。だが人事の関係は厄介《やっかい》だ。俺は監督《かんとく》は御免《ごめん》だから、その時はどうなっても知らないよ、と言うのです。つまり兄は反対らしいのです」

「僕はあなたは幸福最中と思っていましたよ」

「どうして」

「もういい人があるのだと思っていました」

「それならいいのですけど」夏子は呑気《のんき》に笑った。

「あなたはあまりに理想が高いのではないのですか」

「私は兄夫婦を見ていましょ。ですから結婚の正体を知りすぎたような気がするのです」

「野々村さんの奥《おく》さんはいい方でしょ」

「よすぎるのですよ。だから兄はいい気になって遊んで歩いているのです。そのかわり嫂《あね》には頭が上らないのです。家に居ると嫂の機嫌《きげん》ばかりとっていますよ。尤も時々は怒ることもありますがね。嫂は兄を馬鹿にしているのですよ。兄の悪口ばかり言っているのですよ。そのくせ兄が怖いことは怖いらしいので、大事なことは遠慮して黙《だま》っているのですよ。なんだかうちとけないのですよ。そのくせ仲のいい時は実に仲がいいのですが、すぐ又冷淡《れいたん》になってしまうのです。あまりに現実的な夫婦を見ていると、幻滅《げんめつ》を感じますね」

「其処が又、我々の知らないいい処ではないのですか」

「あんまりいい処ではなさそうよ。噂《うわさ》をすればかげと言いますが、二人帰って来たようよ」

夏子は敏捷《びんしょう》に出て行った。

自分はもっと夏子と話がしていたかった。話の内容が自分を面白《おもしろ》がらせたというよりもぽつぽつ話をしている事が嬉《うれ》しかった、もっと露骨《ろこつ》に言うと、夏子の美しい顔や姿や、その生々《いきいき》した表情や、きびきびした動作を見ることがたのしかったのだ。更《さら》に正直に言うと、心と心と何処《どこ》かでふれあうことが喜びだったのかも知れない。もっと本当のことを言えば、僕はもう夏子を愛していたのだ。

一一

人生に恋《こい》が与《あた》えられていることは個人にとって幸福なことか不幸なことか知らない。しかし恋するものにとっては、恋は絶対の事実に思われるのだ。寝《ね》てもさめても、自分は夏子のことを忘れることは出来なくなった。自分の独身主義は、夏子の出現でいつのまにか姿をかくした。自分はその後よく野々村を訪ねた。そして野々村が留守で、夏子がとんでくることを望んだ。

　しかし現実はいかなる場合にも思うようには発展しない。しかし発展しないと思っている内にいつのまにか発展することもあるものだ。

　ある日僕の友人の一人の詩人が来て、詩集を出したいと思うが少し金が不足しているので、文芸会のようなものをしたいと思うが、その時何か話をしてくれと言った。僕はすぐ承諾《しょうだく》をしたが、その時余興として何か面白いことをしたいと思うが、君の知っている人に歌のうまい人とか、おどりのうまい人とかが居ないかと言った。

　僕はそういう人は知らないがと言って、考えている内にふと野々村の妹の夏子のことが頭に浮《うか》んだ。もし夏子が承諾すれば面白いと思った。他《ほか》の人に見せたいというより自分が見たいと思った。それで歌やおどりではないが、奇抜《きばつ》な余興の出来る人を一人知っているから聞いて見ようと言った。お礼はあまり出来ないがと友達は言ったが、御礼はいるまいと言った。

　どんな余興だと聞かれたが、僕はそれは今言えないと、勿体《もったい》をつけてやった。

「是非たのんでほしい」

と友は言った。

「承知するかどうかわからないが、聞いて見よう」

と言った。

友達が帰ったあと、自分は夏子に手紙をかいた。

一二

「一寸《ちょっと》たのみがあって手紙をかきます。へんなおたのみでお怒《おこ》りになるかと思いますが、この頃《ごろ》あなたにはなんでも言えるような気で僕《ぼく》はいるのです。失礼だったらお怒りになってもよろしいが、御許《おゆる》し下さい。実は僕の友達のOという詩人が、今度詩集を出すのに、少し金が足りないので、文芸会をやりたいと言うのです。僕も話をすることをたのまれましたが、その時余興に何か面白いものを出したいと思うがと相談をうけたのです。その時、怒ってはいけません。あなたのことが頭に浮《うか》んだのです。内容もあなたのことも私は言いませんでした。しかし面白い余興の出来そうな人を知っているから、承知するかしないかわからないが、たのんで見てもいいと引きうけたのです。怒ってはいけません。あなたが悪いのですから。あまりに不意打をくらわされたので、もう一度拝見したい気もしているのです。お断り下さっても勿論《もちろん》こまりません。お逢《あ》いした時はこの問題にはふれないで下さい」

するとおりかえし夏子から手紙が来た。

「御手紙いただいた時、何とはなしにどきっとしました。読んで見てあきれました。可笑《おか》しくなり笑いました。出る出ないは先生にお任せします。宙がえりが御《ご》らんになりたければいつでもいらっしゃればお目にかけますが、珍《めず》らしいだけが取柄《とりえ》のものですから、滅多《めった》にはお目にかけません。先生の御命令に随《したが》います」

其処《そこ》で僕は調子にのってかいた。

「御手紙うれしく拝見。あなたに先生と言われるのは少し閉口です。これは前から折があったら抗議《こうぎ》を申しこみたいと思っておりました。僕の命令も困ります。しかし皆を驚《おどろ》かしたい気はします。あなたということは何処《どこ》までもかくして、匿名《とくめい》で出て下されば友達も喜ぶでしょう。道化《どうけ》か、男の子のような風《ふう》して出て下さったら、誰《だれ》も気がつかないだろうと思います。友達には承諾を得たと知らせてやります。こんなことを言うとあなたに叱《しか》られるかも知れませんが、もう相当前ですがあなたが寄席に出て道化の風して宙がえりしたのを見た夢《ゆめ》を見ました。その時のあなたの印象は今でも忘れません」

するとまた《また》夏子から返事が来た。

「お手紙拝見、私と宙がえりと結びつけて考えるのをやめて下されば先生と言わないことにします。しかし宙がえり、宙がえりとおっしゃる間は、私もまけずに先生々々と言って上げます。おたのみのこと承知しました。しかしどう考えても、宙がえりと逆立ちでは面白くないと思います。何と申しても素人芸《しろうとげい》で本当の軽業師《かるわざし》の真似《まね》は出来ません。大先生を驚かし申し上げることは出来ましても、世間の方はお驚きになりません。それで私は先生と御相談して、短い笑劇《しょうげき》のようなものをつくり、そのなかで先生が御らんになりたければ宙がえりなり逆立ちなりを入れたらどうかと思います。私の友人に喜劇の上手《じょうず》なのがおりますから、それと相談して何とか考えて見ます。誠《まこと》につまらないものをお目にかけて、先生の面目《めんぼく》を傷《きず》つけるようになると思いますが、それはお許し願います。そんな夢を御らんになるとは、先生の御人格も想像出来て甚《はなは》だ幻滅《げんめつ》が感じられましたが、私は又現実で先生に幻滅をお与《あた》えして復讐《ふくしゅう》いたしたいと思います。お友達こそ御迷惑《ごめいわく》のことと思います。しかしお友達がお喜びになろうとなるまいとその責任は我《わ》が大先生におありになるのですから、私は一向かまいません。名前も匿名でもなんでもかまいません。本名でも一向平気です。その点は先生の方が神経質でいらっしゃいます。兄はいつか、人間は笑われる為《ため》に生れたものではないが、笑われないために生れたものでもないと書きました、先生は、上手昔《むかし》より上手ならず。下手《へた》いつまでも下手ならずと何かに御かきになりましたね。私もそれに賛成でございます。尤《もっと》も私は軽業師を本職といたすものではございませんから、左様《さよう》御承知願い上げます。先生々々大先生様」

僕はそれを読んで苦笑した。しかし悪い感じは勿論しなかった。その日のくるのをたのしみにしていた。

一三

当日は遂《つい》に来た。

僕達《ぼくたち》友人三人は友の詩をほめた。友は自作の詩の朗読をした、それから余興が始まった。歌があり、おどりがあって、そのあとに夏子の出しものの笑劇《しょうげき》があり、

「お転婆娘《てんばむすめ》」というような題がつけてあった。自分は夏子の出しものが近づくに従って楽しみ処《どころ》か、苦しみになった。へんに恥《はず》かしくなり、余計なことをたのまれなければよかったと思った。

夏子が喜んで承諾したのが図太《ずぶと》いようにさえ思えた。

しかし時は遠慮《えんりょ》なくたった。歌やおどりはどれも本職でうまかった。ただ両方とも男だったので、色彩のものが見たい処なので人々は笑劇の題を見て喝采《かっさい》した。喝采されればされるでなお恥かしく、うまくやってくれるといいがと、何かに祈《いの》った。

幕はドラの音で開かれた。自分は筋も何も知らなかった。お母さん役の女優が一人お経《きょう》をあげていた。後《うしろ》の方でがたんという大きな音がした。

「また始まった。あんな困った子はありはしない」

お母さんはそんなことを言いながら又《また》お経をあげていると、又今度は何か倒《たお》れた音がした。

「春子や、春子や、何をしたのです」お母さんはどなった。

夏子は奥《おく》で、

「何にもしませんよ、鼠《ねずみ》がさわいだだけよ」

「今時分鼠がさわぎますか」

夏子が顔を襖《ふすま》からつき出して、

「それはさわぐわ。お母さんがお経をあげると鼠がよろこんでおどるのよ。不思議だわね」

夏子の顔は少し滑稽《こっけい》につくられていたが、へんに美しかった。

「馬鹿《ばか》なことおっしゃい。それよりもう三時ですよ。琴《こと》のおさらえでもおしなさい」

「はい」

夏子たてかけてある琴を持ち出しひき始める。仲々うまい、皆感心している。するとお母さんは、

「私、一寸《ちょっと》用があって出かけるから、留守の間、おとなしくしているのですよ。こないだのように私の留守に逆立ちしたり、宙がえりしたりしてはいけませんよ」

「ところがお母さん、私、この二十日《はつか》にお友達と逆立ち競争をしなければならなくなったの。まけた方が紅茶をおごらなければならないの」

「紅茶なんかおごったって知れたものじゃないか」

「ところが多勢《おおぜい》におごらなければならないのよ」

「多勢って何人だい」

「五十人よ」

「五十人」

お母さんひっくりかえるようにおどろく。

「だって級の人皆をおごることに約束《やくそく》しちゃったの」

「そうかい。それだってお前は大丈夫《だいじょうぶ》勝つだろう」

「大丈夫勝つと思うのですが、敵もさるもので、十二間程《ほど》逆立ちして歩けるのよ」

「お前は」

「私は十間位が普通《ふつう》よ」

「それじゃお前負けるじゃないか」

「ところが相手は宙がえりが出来ないのよ。それで一間だけ私が少く歩いていいことになっているのよ」

「大丈夫かね」

「あぶないわ。相手の方はお母さんも逆立ちの名人だったので、毎日お母さんがさきに立って練習しているのよ。うちと反対よ。だから私、まけるかも知れないわ」

「それは大へんだ。それならお琴はどうでもいいから逆立ちのお稽古おしよ。五十人じゃ大へんだからね」

「今から猛練習《もうれんしゅう》すれば大丈夫よ」

「それなら猛練習おし。何をぐずぐずしているのだ。早く始めなさい」

「一寸支度《したく》してくるわ」退場。

母「五十人、五十人とはまたとんでもない約束をしたもんだ。こうしてはいられない」自分もはち巻をする。そこらをかたづける。

夏子はパジャマを着て出てくる。それが又僕にはへんに可愛《かわい》く思えた。もう恥かしいという気はしなかった。仲々うまくやるし、見物がよろこんで無邪気《むじゃき》に哄笑《こうしょう》するのも気持がよかった。

しかしいざ逆立ちをやるという時はへんな気がしたが、しかし夏子はごく無邪気にやって歩き出した。母はうまくゆくと「うまいうまい」と拍手《はくしゅ》し、少し立ちどまったり、あぶなくなると「しっかり、しっかり」と言った。皆笑った。夏子は実にうまく余裕《よゆう》をもってやった。

「玄人《くろうと》かい」詩人の友は聞くから、

「いや素人だ」

しかし中には野々村の妹だということを知って得意になって説明している者もあったが、それは二三人で、あとはただ面白がって見ていた。やがて終ると、

「ああくたびれた」と言った。母は、「暑かったろう」と団扇《うちわ》であおいでやったりした。

「大丈夫かね。負けては本当に困るよ。だが馬鹿なことを約束したものだね。相手のうちの人だってお困りだろう」

「だって相手の方は百万長者よ」

「まあ、そんな相手と競争するってお前余程《よほど》どうかしているね」

「だって勝てると思っていたのよ。私が自惚《うぬぼ》れているので、意地の悪い人が、私に入れ智慧《ぢえ》して、相手が逆立ち自慢《じまん》だからおごらそうと言うので、私いい気になって約束してしまったの。すると私に入れ智慧した人は実は相手のスパイだったの」

「あんまりつまらないことを自慢にするからだよ。だけど今月は負けては困るよ。来月ならなんとかなるけど」

「大丈夫よ。死んでも負けませんから」

「断ったらどうなのだい」

「だって女ですもの、女の一言、男子の一言に負けては癪《しゃく》だわ」

「それならどうしてもやるのかい」

「やりますわ」

「どうせやるなら立派におやり」

「ええ立派にやりますわ」

「その人宙がえりは出来ないのかい」

「今一生懸命《いっしょうけんめい》練習しているそうですから、出来るようになるかも知れないわ」

「それは大変だ。お前出来るかい」

「出来ると思うわ、だけどいつかお母さんに怒《おこ》られてからしないからわからないわ」

「一つやってごらん」

「やってもいい」

「いいとも」

「それならやるわ」

早い処夏子宙がえりをする。

「うまいうまい」

母よろこんで手をたたく。

見物にサクラが居たのか、居ないのか僕は知らないが、女の一団が大笑いして一《いっ》緒《しょ》に拍手した。それで幕が閉《しま》った。

他愛《たわい》ないものだったが、へんに可憐《かれん》であり、可愛かった。僕も夢中で手をたたいた。

次の歌が始まった。人々はまだ夏子の美しさと無邪気さと、動作の美しさに就《つい》てこそこそ語っていた。自分は夏子が今にも出て来て自分に挨拶《あいさつ》をしにくるのを心待ちした。

しかし遂に出て来なかった。歌がすんでから舞台《ぶたい》の裏に行って見たらもう姿は見えなかった。詩人の友は僕に礼を言った。一番皆が喜んだと言った。そして芝居《しばい》がすむと十数人の女の人と三四人の男の人が舞台裏につめかけて来て、皆で祝杯《しゅくはい》をあげようといって出かけて行ったことを聞いた。

僕はそれを聞くと一種の嫉妬《しっと》もあったのだと思うが、そんな馬鹿とは思わなかった。あんな出来で祝杯をあげるとは見下げた奴《やつ》だと思った。今迄《いままで》の喜びは何処《どこ》かへ行った。家へ帰って悪口でもかいてやろうと思ったが、それも馬鹿気ているので、ほったらかしておいた。すると三四日たって夏子から手紙が来た。内心僕は手紙を待っていた。急いで開けた。

「こないだは御免《ごめん》なさい。ひどいものをお見せしてとうとう先生に愛想《あいそ》つかされたような気がしてすっかり気が滅入《めい》っています。あの日もお逢《あ》いして慰《なぐさ》めて戴《いただ》きたいと思いましたが、お友達にひっぱり出されて、それにお逢いするのが恥かしくって逃《に》げて帰ったのです。もうこりこりしました。今となってはたのんだお方が悪いのだという気もしています。お友達はよかったと慰めて祝杯をあげて下さいましたが、私一人へんに孤独《こどく》で、泣きたいような気がして困りました。お手紙をおまちしております。先生でない先生。どうぞお忘れ下さい」

僕はその手紙を見ると、今迄の自分が彼女に持っていた感じの下劣《げれつ》さを痛感した。人間を賤《いや》しく見ていた自分こそ罰《ばっ》せらるべき人間だと思った。

それでいそいで手紙をかいた。

「御手紙うれしく拝見しました。僕こそあやまらなければならないのです。あなたがあれで得意だったら僕はあなたを軽蔑《けいべつ》するかも知れません。しかし僕は見るまでは冷汗《ひやあせ》をかいていましたが、見ている内に段々自慢したくなって来たのです。筋は愚劣《ぐれつ》ですが、あなたもお友達も愚劣でない。あなたの意識していない、存外《ぞんがい》あなたは意識しているかとも思いますが、美しさは、私が見たかったものであり、見せたかったものです。私はいつのまにか、あの笑劇を自分が書いたもののような気がし、又興行師のような気になっていたようです。あれをやったことであなたの心が少しでも痛むならそれは私の責任です。しかし私は喜んだ。ただ喜ばなかったのは私以上に喜んだ人がありはしないかという気がしたことです。私の方があやまらなければならなかったのです。私は一人であなたにこっそり祝詞を言いたかったのです。しかし私が歌を聞くのをやめる勇気（？）がなかった内に、私より無邪気で大胆《だいたん》な人々が、露骨《ろこつ》にあなたに讃辞《さんじ》を呈《てい》したらしいのを知ると、私は何にも言う気がしなくなったのです。その内お逢いするまで黙っていようと思ったのです。それで御礼を言うのがおくれました。あれを見た友人は皆面白《おもしろ》がっていました。あなたの逆立ちや宙がえりにはすっかり驚いていました。しかし今後は宙がえりのことはあなたが私のことを先生と言わない限り言わないことにします。二三日の内午後にゆきます。野々村さんにどうぞよろしく」

一四

翌日午後野々村の処《ところ》に出かけた。野々村は留守で夏子が出て来た。

「よくいらっしゃいました。今日は来て下さるかと思っておりました」

「野々村さんは」

「何処《どこ》へ行きましたか。この頃《ごろ》はよく留守で嫂《あね》は気にしています。どうも兄はよくないらしいのです」

「そんなことはないでしょう」

「あてになりませんわ、男の方は」

「それは手きびしいのですね」

「だって私の父も、私の叔父《おじ》も、それから私の知っている人は十人の内七人迄《まで》は信用が出来ないのです」

「信用の出来ないのは十人の内三人位でしょう」

「そんなことがあるものですか。十人に七人はまだひかえ目で、十人の内九人はと言いたい処です。本当に信用のおける夫は」

「それはあなたの誇張《こちょう》ですよ。それはブルジョアの話で、勤労生活をしている人はそんなことはありません」

「だって私の知っている人は例外なしに、馬鹿な話を平気でしていますよ。母も叔《お》母《ば》もそれは仕方がないことと思っているらしいのよ。又《また》男の人にはそういうことをするのに都合がよく世の中は出来すぎているようですわね。だから私の兄だけが悪いとは思いませんが、しかし私、嫂のことを思うと兄が憎《にく》くなるのよ。だって嫂はそれはいい人ですからね」

「野々村さんは大丈夫《だいじょうぶ》と思いますがね」

「あてになるものですか。兄はお人よしですが、又虫のいい人間ですからね。嫂が黙《だま》っているので、嫂を不幸にせずにすむと思っているらしいのですよ。そんな馬鹿なことがあるものですか。ですから私兄に言ってやったのですよ。お兄さんはこの頃少しへんねって。へんなことがあるものか。私はそういってあげたの。お友達が同じ出来たそうじゃありませんか。友達はいくらでもいるよ。それとはちがうわ。同じだよ。だって二人で歩いているのを見た証人が沢山《たくさん》いますよ。歩いて悪いのかい。と兄は言いますから、図々《ずうずう》しいのね。といいますと、嫂に言ったかと聞きますから、

言わないと言いましたら、言うものじゃないぞ。本当のことがわかってくれれば何でもないのだが、とまた白ばくれているのですよ。憎らしいったらないのですよ」

「それは僕は野々村さんの言う方が本当かも知れないと思いますよ。本当のことがわかればね。皆、それがあたりまえになるのじゃないですか。私達は男女のことになると、つい秘密にしてごまかすが、皆あかるみに出して、それに馴《な》れたら、存外なんでもないことかも知れませんよ」

「そんなことがあるものですか」

「あなたの考え方は単純で、野々村さんの気持はもっと別な世界に入っているのじゃないのですか。しかしその女の友達が、野々村さんにあっさり出来ない時が来るかも知れないし、野々村さんも超越《ちょうえつ》して友達ですむつもりでいても、相手の女はそれではすまないかも知れませんね。とにかく厄介《やっかい》な問題にはちがいないが、野々村さんは信用出来る人と思いますね」

「それこそ唾棄《だき》すべき人間ではないのですか」

「そんなことはありません」

「先生もそのお仲間なのでしょ」

「あなたにはまだわからない。しかしあなたは兄さんを愛してはいるのでしょう」

「だから腹が立つのよ。そんな兄じゃなかったのに」

「皆いい人で、皆幸福を傷《きず》つけないつもりがいけないのですが、腹を立てることはないでしょう。信用していればいいのですよ」

「先生はそんな方とは思いませんでしたわ」

「あなたより野々村さんの方が利口ですよ」

「利口かも知れませんが、悪賢《わるがしこ》いのです」

「そんなことがあるものですか」

「先生も同じ穴のむじなだから兄のすることは何でもよくお見えになるのでしょう」

「信用していればいいのです。馬鹿《ばか》なくせに……」

「馬鹿ですって」

「そういう男の気持がわかりもしないくせして」

「そんな気持、何処《どこ》までも軽蔑《けいべつ》しますわ」

「野々村さんはともかく信用していい人です。そっとしておく方がいいのです。あなたはあなたの嫂《ねえ》さんとはちがうのですから、ものずきな波瀾《はらん》は起さない方がいいのです」

「ものずきですって」そう言って夏子は僕の顔をぐっとにらんだが、不意に笑い出した。

「そうおっしゃれば少しもの好きね」

「あなたの憤慨《ふんがい》するのも尤《もっと》もな点もありますよ」と僕も妥協《だきょう》した。

「本当は私、兄が好きで仕方がないのですよ。それだけ兄は立派な非難の出来ない人間にしておきたかったのですよ」

「そううまく問屋はおろしませんよ」

「先生は本当に兄を信じていらっしゃるのですか」

「信じています。何をしたって、悪意のない意地わるくない人は信用していいのです」

「誰《だれ》かに迷惑《めいわく》を与《あた》えても」

「迷惑を与えないですむと思わないことは野々村さんはしませんよ。しかし虫のいい処と、今の時代を考えない処はあるようですね」

「大ありですよ。しかし私が何と思ったって、何と言ったって、聞くような兄ではありませんから」

「あなたに言われてなおせるようなことだったら、あなたに言われない前になおすでしょう」

「今日はいやに先生は、先生顔なさるのね」

「あなたには段々気らくにものが言えるようになったのですよ」

「私が段々馬鹿に見えて来たのでしょ」

「少しそういう所もあるようです」

「こないだの狂言《きょうげん》の筋は愚劣《ぐれつ》でして」

「うまく出来ていましたが、無内容ですよ。誰がつくったのです」

「お友達と合作ですの」

「初め琴《こと》をひくのは誰がきめたのですか」

「それはお友達よ。私琴は下手だからいやだと言ったのですが、下手も反《かえ》っていいだろうと友達が言いますので、図々しくやりましたの」

「僕にはわかりませんが、仲々上手だと思いましたよ」

「兄がなぜ自分に知らせなかったと怒《おこ》りましたから、お兄さんに見られたら恥《はず》かしいので黙っていましたと言いましたら、その答えには及第点《きゅうだいてん》をやろう。俺《おれ》も見たら恥かしくって見てはいられなかったろう。知らなくってたすかったよ。と言いました」

「それはようございました。僕も気にしていました。あれから何処かへ行ったのですか」

「ええ、お茶をのみにゆきましたが、へんに淋《さび》しくなって私だけ先に帰ると言いましたら、皆もがっかりして、それなら解散にするかと言って解散にしました。それから私、へんに先生に御逢《おあ》いしたくなって、こっそり会場の前へ行って見ましたが、もうしいーんとして誰も居ませんでした。それで泣きたいような気持で家に帰って来たのでした」

「それは惜《お》しいことをしましたね、僕もあなたにあの晩逢いたかったのです」

二人はつい顔をあわせて、微笑《びしょう》した。お互《たがい》の心の底がわかったような気がした。

一五

人生にはいろいろの喜びが与えられている。しかしその最も大きな喜びの一つに僕《ぼく》は捕虜《ほりょ》になった。夏子は今や僕には欠くことの出来ない存在になった。自分がハガキ一つ出せば夏子はどんな処《ところ》にもやって来た。又《また》夏子からハガキが来て、何かたのんでくれれば、僕は何をおいてもその要求に従った。僕の居る処には夏子が居、夏子の居る処には僕が居た。しかし二人はまだ結婚するときめてはいなかった。それはきまった事実でもあるようだし、何か言い出すのが怖《こわ》いようにも思えた。野々村は黙認《もくにん》していた。僕は幸福の絶頂にいた。

しかし人生というものは思わぬ時に道がひらけたり、閉じたりするものだ。自分はその時、巴里《パリ》にいる叔父《おじ》から巴里に来たらどうかと言われた。僕は前に叔父に一度巴里に行って見たいと手紙を出したことがあった。僕はもうそれを忘れていた。ところが叔父はどう思ったのか不意に巴里に来て見ないかと言って来た。僕は今ゆきたくなかった。それで断ろうかと思った。しかし夏子にだまっているのもいやなので夏子の処に出かけてその話をした。其処《そこ》に野々村が来た。夏子はそのことを野々村に言った。

するど野々村は、

「それは是非ゆくといいね。今ゆかなければ、一生ゆけないかも知れない。見るだけでも見てくるがいい」と言った。そして夏子をぐっと睨《にら》むように見て言った。

「お前も賛成だろう。村岡《むらおか》（僕の名）のためになるのだから」

「私にはわかりませんわ」

「わからないことはないじゃないか」

しかし夏子は黙ってしまった。

僕は「あまりゆきたくはないのです」と言った。

「ゆく方がいいと思うね。ながくゆく必要はない、半年か一年で帰って来てもいいと思う」

「半年、半年位でよければいらっしたらいいわ、私も御留守の間にいろいろ勉強しますわ」

思わず夏子はそう言って真赤《まっか》な顔をした。

「あなたがそう言うなら行きましょう」と僕も露骨《ろこつ》に言った。

野々村は黙って出ていった。夏子は兄がいなくなると僕にとびついて言った。

「私のことを忘れないでね」

「僕のことを忘れてはいけませんよ。帰って来たら結婚してくれますか」

「ええ」

二人は初めて結婚の話をした。

「私も御一緒《ごいっしょ》にゆきたいわ」

「僕も一人で行くのは淋しいのです」

「しかしよく見て来て話をして下さい」

「ええ。しかし僕は本当を言うとゆきたくないのです」

「私だって、半年辛抱《しんぼう》することを考えると。しかしいらっした方があとの為《ため》にはなりますね」

「あんまりなるとも思わないのですよ」

しかし正直言って自分はゆきたくないことはなかった。しかしその間に誰か見知が。そんなことはないと思ったが。らぬ者が来て夏子を奪《うば》ってゆきそうな気がした。

しかしそう思うと同時に、運命というものは信じ切れないと思った。

しかし夏子を信じないわけにはゆかなかった。やはり行った方がいいだろうと思った。

しかし夏子は信じられても運命は何か信じられないものがあった。

一六

しかし自分は西洋へゆくことにきめたのだ。それから毎日夏子に逢《あ》った。二人は帰ってからのたのしさを語りあった。別れる淋しさも反《かえ》って享楽《きょうらく》出来るような気がしたり、あまりに逢いたくなったらどうしようなぞとも考えた。

自分は若かった。西洋のこともいろいろ空想されるのだった。金があったらと思わないわけにはゆかなかったが、しかしそれだけ立派になって金では買えない喜びを得て見せるという気がした。

月のいい晩、二人は海岸を歩いた。他《ほか》には一人の人かげもなかった。夏子はいつのまにか僕のことをあなたと言うようになっていた。

「私はあなたが立派なお仕事をなさる為なら、いくらでも辛抱しようと決心しました。兄からいろいろ話して聞かされました。兄は人生は快楽が目的でないと言うのです。御自分はと余程《よほど》言いたかったのですが、兄の言うことは本当と思います。私は人生にはもっと淋しい義務があるということを知りました」

「それは感心ですね。僕もその義務を知ることにしましょう」

「淋しさの谷、涙《なみだ》の谷をさまよわぬものは、人生を知ることすくなし。これは誰の言葉でしたかしらん」

「僕はそれに似た言葉は知っていますが、そんなまぬけな文章は知りません」

「それなら何と言うのか御存知なの」

「忘れましたよ。しかしもっと美しい文句だったことはたしかです」

「なんでもよろしいわ、私、今まで少し呑気《のんき》すぎました。これから家庭的な勉強をしますの。あなたがお帰りまでにうんと料理の稽古《けいこ》をして、毎日おいしいものをたべさせて上げますわ」

「金がかかるのではないのですか」

「今からもう金の御心配《ごしんぱい》」

「だって僕は貧乏《びんぼう》な生活がしたいのです」

「もの好きね」

「あなたに出来ますか」

「出来ますわ。それで辛抱が出来なかったら、うちにそっと帰って食べて来ますわ」

「いい心がけですね。そっと口をふくことの名人になっては困りますよ」

「あなたこそ」

「今から夫婦喧嘩《げんか》の予習は早いようですね」

「意地の悪いのはあなたの方よ。へんな憎《にく》まれ口を言うのですから」

「もっと真面目《まじめ》な話をしましょうね」

「ええ」

「僕はあなたを知ったことを実に喜んでいるのですよ。そして帰ってから、あなたと一家を持つことを考えて、向うへいったらいろいろのものを買って来たいと思っています。叔父は沢山《たくさん》の甥《おい》の内でへんに僕を認めていてくれるのです。僕が父に早く別れたせいもあるでしょうが。父は死ぬ時叔父にこの子はうまく教育すれば世界に一人という人間になるのだがと言って、僕のことをくれぐれもたのんだそうです。叔父はその言葉が妙《みょう》に忘れられないといつか言っていました。それで今度は僕の父のことを思い出して、僕を呼ぶ気になったのでしょう」

「いい叔父さまね」

「今の場合ありがためいわくの叔父です」

僕は実際そう思った。しかし僕はあとで知ったのだが、母から僕がその頃《ころ》夏子とあまりに仲よく交際しているのを心配した手紙をもらったので、おせっかいにも僕を呼ぶ気になったというのが本当らしいのだ。僕はその時は其処《そこ》までは考えなかった。其処まで考えたら勿論《もちろん》断るのだった。夏子もそれを知らなかったので、その時「いい叔父さまね」と言ったのだった。よき叔父ではあったが余計なことをする叔父でもあった。

「そんなことをおっしゃると罰《ばち》があたりますわ。私、この頃却《かえ》ってたのしみになったのよ。あなたが帰っていらっしゃる時のことを考えると、それまではどんなに淋しいかわかりませんが、でも希望がもてるからたのしみですわ。帰っていらっしゃる迄《まで》に私、本当にいいお嫁《よめ》さんになりますわ。だからいい御褒美《ごほうび》を買って来て頂戴《ちょうだい》ね」

「おやおや、だけど買ってくるなと言っても買って来ますよ」

「それなら買ってくるな！」

二人は笑った。時間がたつのを忘れた。ふと気がつくと満月は随分《ずいぶん》高く上っていた。二人は景色も波の音も問題ではなかった。だがあまり遅《おそ》くならない内に家に帰る必要があった。

「帰りましょうかね」

「ええ。私、今日の日のことは忘れませんわ」

「僕だって忘れませんよ」

今になっても僕は忘れない。しかし二十一年前の話である。

一七

西洋へ立つ三日前に、ごく少数の人が送別会をしてくれた。野々村の広間でやることになった。二十人ばかりの人が集った。しんみりしたいい会であった。夏子は快活に神妙《しんみょう》に世話をやいた。

誰《だれ》かが「宙がえりをする勇気はまだありますか」とおだてたが、夏子は「ありませんわ」とすまして答えた。野々村は最初に送別の辞を言った。

「僕は村岡《むらおか》君が巴里《パリ》にゆくことを第一に賛成したものだ。巴里に行った人、行く人は何千何万とあるかも知れない。少しも珍《めず》らしいとは思わない。しかし世界の文芸の中心は何と言っても今の処《ところ》巴里だ。其処《そこ》へゆくことで世界の下らないことを本当に知ってもらいたい。僕は帝大《ていだい》*文科に入って得た処は知識的には一冊の本をよむ程《ほど》も得る所はなかったが、帝大の文科に入って得た一番の獲物《えもの》は最高学府という名に少しも驚《おどろ》くことがなくなった点である。このことは存外、僕には自覚と自信を与えてくれた。巴里にゆかず欧洲《おうしゅう》にゆかずとも、本を読めば知識的にはその方がずっといいだろう。しかし巴里並《なら》びに欧洲が下らない処だという自覚は西洋にゆくことで本当に得られると思う。そしてそのことは存外馬鹿《ばかげ》気たことではないのだ。世界の中心は巴里ではない、我等《われら》の立っている所だ。地球が球であることは、ありがたいことだ。我等にとっては東京が世界の中心だ。我等の大事なことは本当に生きることだ。しかし巴里を見ない内は何か巴里が怖《こわ》い。その怖くないことを村岡がゆけば真実に感じて来てくれ、我等は傲《ほこ》りをもって自己の信じる通りの仕事をすればいいことを知って来てくれるだろう。本は帰ってから読めばいい。ぼんやり、否《いな》村岡の鋭い目で巴里人の腹の底を見通して来てもらいたい。自覚を得て来て、帰ってからうんと仕事をしてほしい。それは旅行記ではない、自覚と自信だ。あと半年程たつと又《また》ここで村岡の歓迎会《かんげいかい》が出来るであろう。その時の喜びは今から想像して、僕は大いに喜んで村岡を送るのである。村岡君の健康を祝そう」

野々村は盃《さかずき》をとった。皆もとった。夏子の方を見ると、夏子もこっちを見ていた。二人は他の人に気がつかれないように微笑《びしょう》した。祝杯《しゅくはい》は隣《とな》りの友とかちあわされたが僕の心は夏子にあった。他に二三饒舌《しゃべ》ったあとで僕もしゃべらされた。

「皆《みな》さんに喜んで送っていただき、大いに期待して戴《いただ》いたことを感謝します。しかし僕自身は何のためにゆくのか、はっきりしたことはわからないのです。叔父《おじ》が来ないかと言うので、官費《かんぴ》、いや叔父費でゆくわけです。野々村さんも言ったようですが、僕は半年位の旅行で何も得る所があるとは思いません。僕は皆さんも御承知のように語学の才がない。本なら易《やさ》しいものなら前後のかんけいで二三度よみなおして大体意味に通じる程度です。それもフランス語は全然出来ないのです。だから画《え》や彫刻《ちょうこく》を見る他《ほか》は、人間を眺《なが》めてくる程度です。食物もわからないし、音楽もわからない。しかし何かわかると思います。その何かはなんであるかわかりませんが、耶蘇《ヤソ》*が、なくて叶《かな》わぬものは一つだと言った、その一つのことはわかると思います。つまり言葉を通さぬ人間の心の囁《ささや》き、町全体の見えぬ姿、そんなものを見ることは自信があります。僕が働けるのは日本語だけです。日本語の通じるもの以外には私の仕事は用がない。私は日本の為《ため》に先《ま》ず働くより仕方がない。地球が球なのはいいと野々村さんは言いました。僕も同感です。他国の文学を日本人が味わうには日本の方がいいと思います。それも野々村さんと同感です。しかし僕は巴里その他をなるべく感心して見て来たいと思います。ひいて教わることがあれば出来るだけ教わって来ます。しかし結局、僕を知るものは野々村さんらしく思われます。野々村さんは僕が行って見るだけのことをゆかずに見る才能のある人です。半年後に無事に帰って来て、ここで皆さん全部と再会出来る時は、どんなに大きな喜びでしょう。私は帰るためにゆくような人間なのです」

皆笑った。其処《そこ》で僕は話を切りあげて坐《すわ》った。皆拍手《はくしゅ》した。野々村はこっちを見て、僕の腹を見すかしたように笑った。夏子も僕の方を盗見《ぬすみみ》して笑った。酒をのむものはのんだ。余興が始まった。夏子は短い歌をうたった。なかなかうまかった。

一八

出立《しゅったつ》の前日は僕は夏子の為に時間をとっておいた。

九時に東京駅にゆくと夏子は既《すで》に来て居た。

いつもになく日本の着物を着て居た。日本を思い出して戴《いただ》きたいの、これから洋《よう》装《そう》では立派なのをいくらでも御覧《ごらん》になるでしょうからと夏子は言った。自分は着物のことはまるでわからなかったが、いつもよりも優美に見えたのは事実だった。だがいつもよりいく分沈《しず》んでいるように思われた。

当分二人は逢《あ》えないと思うので、出来るだけ美しい気持のいい思い出を残したいと思った。湘南《しょうなん》のある海岸の宿屋の離《はな》れに自分達を見出《みいだ》したのはそれから二時間程《ほど》のちのことだった。

二人で散歩するのも不快ではなかったが、しかしもう五月の初めになっていた。もう歩くと暑かった。それに二人とも何となく疲《つか》れていた。やはり西洋へ行くとなると相当忙《いそが》しかった。母がまたいろいろ世話をやき、心配した。喜ぶのがあたりまえだった。しかしいざゆくとなるとさすがに心配して、医者に健康診断《けんこうしんだん》をしてもらえとか、いろいろ用意に手ぬかりはないかと、僕《ぼく》に相談しても仕方がないので兄に相談した。兄は会社の用で一度西洋に行ったこともあるので、何をもってゆけばいいか、何は持ってゆく必要がないなぞと心得て居た。忙しい身体《からだ》なので、そう一々動いてはくれなかったが、母にたのまれると仕方なしに骨折った。嫂《あね》もいろいろ注意してくれ、買いものの手つだいをしてくれた。僕は誰がゆくのだという顔を出来るだけして、夏子と時を過す方に骨折っていた。しかしそれでも全く知らん顔するわけにもゆかなかった。服をつくるのでも、靴《くつ》を買うのでも、帽子《ぼうし》を買うのも自分がゆかずにすむわけにはゆかないし、写真も写さなければならない。少しは義理のある処《ところ》に顔を出さねばならない。つまらぬことで時間がつぶれた。又《また》主な金は叔父《おじ》が出してくれるとした処が、金はあるに越《こ》したことはないので、売れる原稿も友達が世話してくれたりして、いつもより倍以上書かされた。だから自《おの》ずと疲れていた。

それで早く呑気《のんき》に楽して、二人だけになれる所をさがして、前に行ったことのある宿屋に上りこんだのだった。

帰って来たら、毎日でもこうしていられるのだ、そう思いながら、半分もう夫になった気で勝手に遠慮《えんりょ》なくふるまっていた。しかし夏子は接吻《せっぷん》以上は僕に許そうとしなかった。

「帰っていらしってから」あぶなくなると夏子はそう言った。僕もそれ以上のものを要求しようとは思わなかった。万事《ばんじ》帰ってからで僕は満足することにした。

「こないだの会で宙がえりをしないかと心配しましたよ」

「そうやすっぽくはしませんわ。もう。私は誰かさん以外にはあんな馬鹿気たことはお目にかけません」

「誰かさんは運のいい人ですね」

「どんなにでも運がよくなって戴《いただ》きたいわ」

「誰かさんのかわりにお礼を言いますよ」

「かわりはいやです」

「それなら帰って来た僕の為にお礼を言います」

「本当に早く半年たつといいのですね」

「本当にどんなに嬉《うれ》しいでしょう。その喜びを百倍するために西洋へ行くようなものです」

「帰るためにゆくのだとおっしゃったわね。あの言葉の本当の内容がわかるのは、あの席にたった一人きりないと思いましたわ」

「その一人に僕は生命《いのち》をささげます」

「そんなことを言うと芸術の神の罰《ばつ》を受けますわ、嫉妬《しっと》深《ぶか》いと申しますから」

夏子は何の意味もなく冗談《じょうだん》に言った。

「本当に僕は世界一の幸福者だとこの頃《ごろ》思っています」

「世界で二番目でしょう」

「それなら一番は誰です」

「おわかりにならない、随分《ずいぶん》頭のわるい方ね」

「あなたは二番かそれ以下」

「嘘々《うそうそ》、私の方が一番ですわ」

こんな無邪気な争いも、へんに楽しかった。自分は清浄《せいじょう》な気持ばかりとは言えなかった。好奇心《こうきしん》もなくはなかった。しかし和服の彼女に逆立ちをしてくれとたのむ程の失礼をする気にはならなかった。そして清浄な彼女を見ると自分も清浄にいたいと思った。

万事は帰ってから、結婚する時のたのしみにしておきたいと思った。

五目並《なら》べや、ピンポンなぞもやった。五目並べでは僕の方が強かったが、ピンポンは話にならなかった。僕も少しは得意だったが、まるで段がちがった。

時がたつのが早すぎた。何か相談があるような気が逢う前にはあったが、逢ったらそんなことは忘れた。しかしいくらなんでも明日たつのにあまり呑気《のんき》にもしていられなかった。晩飯は家で母や兄や嫂達《あねたち》と一緒《いっしょ》に食べる約束《やくそく》があったので、三時頃に宿屋を出た。

「時々お手紙頂戴《ちょうだい》ね」

「あなたも」

「私それは書きますわ、ですが文章が下手だっておっしゃりっこなしよ」

「大丈夫《だいじょうぶ》。今度逢う時はお互《たがい》に少しは利口になっていましょうね」

「今の私は馬鹿だとおもっていらっしゃるのね」

「そういう皮肉を言って得意になる点が馬鹿なのです」

「みんな注意して得意になる処があなたも利口でない処ね」

「相こにしておきましょう」

「ええ。本当に早く帰ってらっしゃいよ」

「ええ、帰るためにゆくのですから」

「本当に私、日がたつのがたのしみですわ」

「僕も船にのると同時に日がたつのを喜ぶでしょう」

「厄介《やっかい》な方ね」

「その代り勉強しますよ」

「身体を大事にして頂戴ね。私は恥《はず》かしい程丈夫なのよ。兄はよくお前は病気しても気がつかないのだろう。気がつく時分にはなおっているのだろう、と言われますわ」

「だがあなたの身体はあなた一人のものではありませんからね」

「あなたこそ御自分の身体だと思わないで頂戴」

二人の幸福は何の幸福、二人からよき子が生れ、それから孫が生れる、等々自分は考えて、二人を祝福するものが何処《どこ》かに居ることを感じ感謝した。可憐《かれん》の人間よ。

一九

自分は元気で家に帰った。家ではもう皆《みな》そろって待っていた。僕の呑気なのに驚《おどろ》いていた。

「何処へ行っていたのだ」

兄はそう聞いた。

「友達の処《ところ》に」と僕はごまかした。

母は「いよいよ明日になったね」と言った。

簡単な祝宴《しゅくえん》としていつもより御馳走《ごちそう》があり、珍《めず》らしく杯《さかずき》なぞも出され、僕は母から祝いの酒として杯に酒をついでもらった。ここに夏子がいたらと思った。

食事後僕は兄に一寸《ちょっと》話したいことがあると言った。

兄は「何か」と言って僕のあとをついて来た。僕は兄に単刀直入《たんとうちょくにゅう》に言った。

「お兄さんは野々村さんのことを知っているでしょう」

「勿論《もちろん》知っているよ」

「僕は帰ったら野々村さんの妹をもらおうかと思っているのです」

僕はそう言った。兄はあまり不意で少し考えていた。

「それは帰ってからきめてもいいだろう」

「僕がその気持でいることだけ、お兄さんにわかって戴《いただ》ければいいのです」

「承知した。わるくない人らしいね」

「御存知ですか」

「それは知っているよ」

「ありがとう」僕はわざとそう言ったが、兄は否定しなかった。

「お母さんも御存知かしらん」

「気にしていらっしゃったよ。しかし今でもそれはいいだろう。お前が悪くないと言うなら、と言っていらっしゃった」

「それは本当ですか」

「本当だよ」

僕は泣きたい程《ほど》嬉しかった。夏子が聞いたら喜ぶだろうと思った。すると急に夏子にそのことを知らせたくなった。

「僕はこれから一寸《ちょっと》出かけて来ますよ」

「何処に」

「野々村の処《ところ》に」

「ははは、それもいいだろう。しかしあまり遅《おそ》くならない方がいいだろう。お母さんのお気持にもなって上げるものだ」

「勿論、早く帰って来ます」僕はそう言うと同時に家を飛び出した。

二〇

野々村の処に大急ぎでゆくと野々村は運よく留守だった。夏子がとんで来た。

「何か変ったことでも起りましたの」

「別に変ったことではないのです」

「私何が起ったのかと思って吃驚《びっくり》しましたわ」

「旅行でもやめになったとでも思ったのですか」

「そうなれば」と笑って「そう思ったのではないのです」と言いかえした。「心配しましたのよ。あまり帰りが遅かったので」

「そんな心配じゃないのです。なんだか急に逢《あ》いたかったのです」

そう言って自分は先にたって夏子の室《へや》に行った。

「私も。私おちつかなかったので室をかたづけておりましたの、そしてやっとかたづけたらあなたがいらっしたというので夢《ゆめ》かと思いましたわ。同時に何か起ったのかと思いましたわ」

夏子の室はすっかりかたづいていた。野々村がいつか僕をうつした写真が立派なふちに入れられてテーブルの上に置かれているのには驚《おどろ》いた。勿論それは嬉しかったが、自分はそれを見ると、自分も急に夏子の写真がほしくなった。一つもらったのはあって、持ってゆくことにしていたが、もっと沢山《たくさん》ほしくなった。

「あなたの今迄《いままで》写した写真を皆見せて下さい」

「写真ドロにいらっしたの」夏子は笑いながら言った。

「そういうわけでもなかったのです。実は大したことではないのですが、今さっき兄に帰ったらあなたと結婚することにきめていることを話したのです」

「まあ」

「そしたら兄はあなたのことを知っていてそれもいいだろうと言ってくれました。そして母もこの頃《ごろ》はそのことを内々《ないない》喜んでいてくれたことがわかったのです」

「まあ」

「それで兄の許しを得て一寸《ちょっと》やって来たのです」

夏子は僕の手をとって、僕の方を見て笑った。涙《なみだ》が光っていた。

僕も何か寒いものが頭をかすめたような気がして涙ぐんだ。

「あなたのお兄さん本当にいい方ね。お母さまも、私うれしいわ」

「母のいい子になってくれるね。そして兄のいい妹になってくれるね」

「ええ。なりますとも、そしてあなたのいいい妻になりますわ」

夏子を可憐《かれん》に可憐に思った。

「写真を持って来て下さい」

「ええ」夏子はいそいそと写真を戸棚《とだな》からとり出して来た。

其処《そこ》には赤坊《あかんぼう》の時からの写真があった。どれも可愛《かわい》かった。殊《こと》に八歳の時、十二の時、十四の時、十七の時などにへんに可愛いのがあった。最近のは実物の方がどうも生々《いきいき》しているようだった。だが最近のも二三選んだ。

「これだけもらいますよ」

「慾《よく》ばり」彼女はそう言って笑った。

「けちんぼ」僕《ぼく》もまけてはいなかった。

「生意気《なまいき》言うと喧嘩《けんか》するぞ」

「売られた喧嘩は買わずばなるまい」

二人はボクシングのまねをして哄笑《こうしょう》した。しかしその声が消えたあと、へんに淋《さび》しかった。いつまでもここに居たい。しかしよき母は待ち兼ねているであろう。

「帰ろうかな」

「帰る？　私のいる処があなたのうちではないの」

「それならもう出かけようかな」

「お母さまが待っていらっしゃるからお出かけなさい」

「それなら一寸行ってくるよ」

「いってらっしゃい」

そのくせ僕は椅子《いす》から立とうとはしなかった。瞬間《しゅんかん》二人はどっちからともなく抱きあって、接吻《せっぷん》した。それから二人は一緒《いっしょ》につれだって歩いた。家に近づくとわざわざ遠廻《とおまわ》りした。家に帰ったのはそれから一時間後だった。母は笑って僕を迎《むか》えてくれた。兄も微笑《びしょう》していた。

二一

翌日いよいよ東京駅をたった。船には神戸《こうべ》からのることにした。兄が母にたのまれて神戸迄《まで》来てくれることになった。母は家の玄関《げんかん》まできり送って来なかった。母にわかれる時にはさすがに淋しかった。

東京駅には二三十人見送りに来てくれた。夏子は勿論《もちろん》来た。野々村と一緒だった。野々村は僕のそばに来て「昨晩来てくれたそうだね、留守で残念した。妹は却《かえ》ってよかったと言っていたがね」と小声で言った。そしてなおつけ加えて、「妹のことは君の留守中僕が引受けたから安心して行って来給《きたま》え」と言った。

「ありがとう。御願《おねが》いする」

夏子は二人の話を嬉《うれ》しそうに聞いていた。夏子は和服でいつもより神妙《しんみょう》にしていた。僕は兄に二人を紹介《しょうかい》した。兄は如才《じょさい》なく、しかし冷淡《れいたん》でなく二人に挨拶《あいさつ》した。

「いつも弟が御世話になっています。母もよろこんでいます」

「僕の方こそ」と野々村は言った。夏子は黙《だま》って丁寧《ていねい》にお辞儀《じぎ》した。その神妙さがいじらしすぎて、自分はわざと滑稽《こっけい》にとって、夏子の方を見て笑った。夏子もそれに気がついたらしく僕の方を見て笑った。

いれかわり挨拶に来た。挨拶にくる人にも潮の満干《みちひ》があるように一寸《ちょっと》空間のあるものだ。その時、つと夏子は僕のそばに来て、

「私わりに元気ですからどうぞ御心配なく、しかし半年たったら必ず帰っていらっしゃるのよ」

「ええ、まちがいなく、その時はどんなに嬉しいか」

この時気のきかない人は又《また》せめよせて来た。夏子はお辞儀してあとにさがった。

遂《つい》に時間が来て汽車は出た。僕は窓から首だして皆と手をふりあった。夏子はハンカチをふっていた。僕はいつまでもそれを見ていたかったが、人を送りに来ている人が多く、そのかげに遂にかくれてしまった。そのうち汽車はプラットホームが見えない処まで進んでしまった。僕は初めて席に戻《もど》った。

「野々村の妹さんはなかなかいい人だね。お母さんにもお逢《あ》わせすればよかった」

兄はなかなか感心なことを言った。

自分は神戸から船にのった。

二二

自分は旅行のことはここにあまり書きたくない。しかし淋しい旅行ではあったが、しかし楽しい旅行だとも言えた。自分は今迄《いままで》知らない世界を見た。船には弱かったが、しかしねていれば酔《よ》わずにすめた。海は何かものを思わせるものだ。自分は海を見て夏子のことを思っていた。珍《めず》らしいものを見る度《たび》に夏子がそばにいないのを残念に思った。

船のよる港々で風俗がまるで異《こと》なることも面白《おもしろ》かった。

自分は港々で母と夏子に手紙をかいたが、夏子の方が長い手紙になるのは言う迄もなかった。そして一箇月《かげつ》半以後には自分は巴里《パリ》にいた。叔父《おじ》の家は子供が多いので、安い一室を借りて飯だけを叔父の家にたべに行った。しかし自分はそんな日常生活に就《つい》て語る前に、夏子から来た手紙と、自分のそれへの返事を書こう。それで僕の当時の生活がわかるから。

自分は巴里までは日本人のつれがあった。巴里へつくと叔父が迎えに来ていてくれた。叔父は或《あ》る日本の銀行に務めていたのだ。巴里についた時叔父が来ていなかったら随分《ずいぶん》困ると思った。しかしそんなことは夏子への手紙にもかいてあることだ。僕が巴里についた時、叔父に逢えたことは勿論うれしかったが、それにもまして夏子からの手紙を叔父の家につくと同時に渡《わた》されたことだった。叔父はもう夏子が僕の事実許嫁《いいなずけ》だということを知っていた。母から知らせてあったのだ。

自分はあわてて夏子の手紙を読んだ。

「今日は本当に嬉しい日でした。心配しておりました処《ところ》に最初の上海《シャンハイ》からのおたよりを受けとったのですもの、本当に安心しました。ありがとうございました。海上御無事《ごぶじ》だったことは何より嬉しく思いました。心配すると切りのないものです。私は楽天家で、心配しない質《たち》でしたが、今度は本当に心配しました。本当に東京駅でお別れした時は淋しくって困りました。一人自分の家に帰って泣きました。本当にあなたの嬉しい門出《かどで》にちがいないと思うので泣くのはよそうと思いましたが、涙は私の言うことを聞かずに勝手に流れ出て私を苦しめました。しかし一泣きしたら少し元気になりました。神戸にゆけばまだまにあうのではないか、なぜ神戸までお伴《とも》をしなかったのだろうとくやしく思いました。まだ日本にいらっしゃるのだと思うと、却《かえ》ってあきらめ憎《にく》いのです。いよいよ今日は下関《しものせき》をおたちになったのだと思った時、却ってあきらめが出来たようです。もう仕方がない。東京駅ではあなたもへんにお淋しそうに見えました。別離《べつり》というものがこんなにまで淋しいものとは今まで想像も出来ませんでした。それだけ御帰りの時はどんなに嬉しいでしょう。今思ってもぞくぞくいたします。早く時がたってくれることだけが、今の私の願いです。

あなたは少しちがうでしょう。いろいろのものを御覧になり、つぎつぎといろいろの刺戟《しげき》をお受けになりますから、その点、私の方が可哀《かわい》そうです。しかし私は日本の女です。あなたの妻です。泣き事ばかりいってくらしているわけではありません。兄は私が思ったより元気にしているので安心しているようです。腹のなかがわからないのです。わかってほしくも思いませんが、わかって下さるのはお一人だけで沢山《たくさん》です。私の大事な大事な方。私の机の上で私を見ている方。

私はお琴《こと》の稽古《けいこ》を始めようかと思っています。あなたは私の琴をお好きなようですから、お帰りまでにうまくなって、驚《おどろ》かして上げたいと思っています。それから料理もいよいよならうことにしました。裁縫《さいほう》もやるように母に言われ却って喜んでいます。我ながら変ったものです。私はお帰り迄《まで》に本当にいい人間になりたく思います。しかし時々は喧嘩《けんか》もいたしましょう。尤《もっと》も兄の真似《まね》はなさっては困ります。私は実に淋しい時と、実に嬉しい時が御座います。この手紙を御らんになる時はあなたは巴里にいらっしゃる時だと思うとへんな気がします。この手紙が先についてあなたをお待ちしていると思います。巴里はどんな所ですか。ルーブル*には早速おでかけのことと思います。私が御一緒《ごいっしょ》だったら。しかしおとなしくお帰りを待っております。兄に巴里にゆくようにすすめて見ようかなぞとも考えております。仕事が多くって兄はとても承知はしないでしょう。兄こそ出かければいいのにと思っています。自分がゆきもしないくせにあなたにゆけなぞとは本当に悪い兄だと思います。しかし厚意を持ちすぎてすすめてくれたのですから怒《おこ》るわけにはゆきません。私があんまりあなたのことばかり言うので兄が、もうその話は御免《ごめん》だと申しますが、私は許しません。厄介《やっかい》な妹をもったものだと後悔《こうかい》しているようでございます。甚《はなは》だいい気味で痛快に存じている次第《しだい》です。

兄があの時ゆくようにおすすめしなかったら、毎日お逢《あ》い出来て、こんな淋しい思いや心配な思いはしないですむのです。元気のことが気になりますが、ここでは見当がつきません。しかしこの御手紙を御らん下さる時はまちがいなく無事におつきになった時ですから、お目出とう、お目出とうと申し上げます。どんなに巴里がいい処《ところ》でも御帰りはお忘れなく、決して日のべなぞはしないで下さい。

兄は今朝こんなことをしみじみ申していました。『村岡君も可哀そうにお前のような妻をもって監督《かんとく》されては』と。私は腹が立ちまして、『村岡さんは監督しなければならないような方ではないわよ。お兄さんとちがって』と言ってやりましたら、嫂《あね》がわきにいたのには驚きました。

私はどうも少し口が早やすぎるようです。失礼なことも時々言ったように思いますが、あなたにはわかって戴《いただ》けると安心しています。

お身体《からだ》をお大事にお大事に。

私は相変らず丈夫《じょうぶ》でございます。もう少し病気した方が皆に同情されていいのじゃないかと自分の丈夫なのをうらめしく思ったことさえございますが、今はますます丈夫になりたいと思っております。運動もしております。お帰りの日を指折りかぞえております。百三十八丸をかいて毎日その一つを消すのをたのしみにしております。朝起きると第一日のおつとめはその丸を消すことです。早く百程《ほど》消すことが出来るといいと思います。

月日のたつのは早いものと言った人は大嘘《おおうそ》つきだとこの頃《ごろ》うらめしく思っております。

昨日はふらふらと御家の門の前までゆきました。何事もないようで安心して帰って参りました。一寸《ちょっと》お母さまにもお目にかかりたいという気がしました。万事《ばんじ》御帰りを待って。

書きたいことが多すぎて、私にはかけません。このつぎもう少し要領のいい手紙をかきたく思っております。御身体をくれぐれも御大切に願います。あなたの御身体はあなたお一人のものではございません。と釈迦《しゃか》に説法*を申します。御手紙おまちしております」

自分は叔父や叔母や従兄弟達《いとこたち》に思わぬ歓迎《かんげい》をうけた。叔父は実によろこんで、僕に巴里で逢えるとは思わなかったと言った。

僕は疲れたふりをして自分の為《ため》にとってあった室《へや》に入って、早速夏子に手紙をかいた。

「巴里に遂《つい》に来た。来た最高の喜びはおまえの手紙だった。（わざとおまえとかいた。船でおまえのことを空想する時僕はおまえと呼ぶくせをつけてしまった。）夕方巴里について叔父に迎えられて叔父の家——室と言う方が本当だ。叔父は四つ室を借りている。あまり上等の室ではないようだが、しかし要領よく出来ている。——に自動車で真直ぐ来た。まだ巴里を見たとは言えない。巴里を見たあとで又《また》手紙をかく、見ない前にかくのも悪くないと思う。明日は早速ルーブルに従弟《いとこ》に案内してもらうつもりだ。従弟は二十二で今画《え》をかいている。非常に感じのいい青年だ。仲よしになれそうだ。叔父は僕が三月《みつき》位きり居られないということを知っていて、しきりともっといる必要をといた。すると叔母が『それでも待っている方がおありだそうですから』と言った。

『お姉さんも、心配しているのかと思ったら喜んでいるのだから世話はない』などと叔父は叔母に言って笑っていた。

もう君と僕の間は公然たる事実で、皆祝福してくれている。僕達程その点運のいいものはない。これもお前の評判が何処《どこ》で聞いてもいいからだ。お兄さんの評判もいいからだ。お兄さんと呼ぶのは一寸変《ちょっと》だが、そうかいて見たくなったのだ。僕はどうしてこう皆に愛され、運命に祝福されているのかわからない。謹《つつ》しまなければならないと思っている。

お前が良妻になってくれるのは嬉しいが、しかし快活な女にますますなってほしい。お前が神妙《しんみょう》になるのは、少し柄《がら》にあわないように思う。ますます快活で元気にしてほしい。僕は自分が引《ひっ》こみ思案《じあん》の方だから、快活な朗《ほが》らかな屈《くっ》たくのない女がわきにいてくれると助かる。君はその点でも理想的だ。琴がうまくなってくれるのは嬉しいが、逆立ちもますます名人になってもらいたい。売りものにはしないから安心してくれ。

今度の航海は珍らしく天気運にめぐまれ、こんな静かな航海は初めてだと、三回船にのった男が言っていた。『それはある人が祈《いの》っていてくれるからです』と余程言ってやりたかったが、だまっていた。言ったら気ちがいと思われたろう。微笑《びしょう》ものだ。僕は実に幸福だ。帰りの船もきめてしまった。あと百四十三日で神戸につくはずだ。予定通り船が進めば十一月十二日に神戸につくはずだ!!　船はM丸だ。この手紙がつく時分にはあと百三十日はないわけだ。しかしまだ百日以上あると思うと少しうんざりするがね。だがその後に待っているものを思うと、贅沢《ぜいたく》は言えない。ナポリ*でハガキを出したのはもう見たと思う。ナポリの景色と美術館には感心し、ポンペーの発掘《はっくつ》*は思ったよりすばらしく、当時の町の有様が想像出来、面白かった。誰《だれ》かとゆっくり散歩したい処はいたる所にあった。マルセーユから汽車で見える景色のすばらしさ、セザンヌ*やゴオホ*のかいた土地の色のあざやかさ。僕は今まであんなに美しい鮮《あざ》やかな色の景色を見たこともなく想像したこともないような気がした。セザンヌやゴオホは美しく見てかいたのではなく、ありのままをかいたことがわかったような気がした。

段々北に近づくに従って色はくらくなる。フランスの田舎《いなか》の景色、方々に牛や馬がいるのが見え、巴里まで汽車の窓にへばりついて外ばかり見ていた。巴里まで日本人のつれがあったので少しも不自由せずに来られたのはありがたかった。いつか金が出来たら二人で来たいものと思った。その時は子供もつれて来ることになるだろう。お前と俺《おれ》に似た四五人の子供、四五人は一寸多すぎるか。こんな想像を言っても悪く思わないでくれ、清い乙女《おとめ》よ。僕の永遠の偶像《ぐうぞう》よ。これも少しいや味だね。しかし僕は本当にお前が神聖に見えるのだ。いくらお前はあたりまえの女だということを知っていても、神は僕になんという恵深《めぐみぶか》い送り物を送って下さったのだろう。僕にはそうとしか思えない。あまり正直にものを言いすぎたかも知れない。しかし何年かのちかに、子供をつれて二人で巴里《パリ》へくることを想像することは実にたのしい。子供は十七八になっていてほしいが、僕等はその時でも三十五六で居たいなぞと虫のいいことを考える。

僕も一日々々たつのが実にたのしみだ。お前の真似して早速百四十三の丸をかいて明日の朝から一つずつ消すことにしよう。

お前の写真を何度も見る。叔父叔母にも明日見せてやろうかと思っている。さっき余程見せようと思ったが遠慮《えんりょ》しておいた。自慢《じまん》がしたいものだね。お前の写真を見る度《たび》にお前が『慾《よく》ばり』と言った時の媚《こ》びるような何とも言えない可愛《かわい》い表情が目に浮《うか》ぶ。

愛する愛する夏子よ、よくおやすみ。今東京は何時頃だろう。ここでは夜十一時だ。東京は今、朝だと思う。お早うと言う方が本当かも知れない。お前は又丸を一つ消して、体操でもしている時分だろう。それとも朝御飯をたべている時分か。

明日ルーブルを見るのは何と言ってもたのしみだ。どうもおやすみと言いたくなる。

それでは十一月十二日‼

愛する、愛する夏子様」

二三

夏子からは巴里から出した手紙の返事をもらう迄《まで》に五通の手紙をもらった。しかし一々書く必要はないと思う。巴里から僕が出した手紙の返事と、最後にもらった手紙と、その僕の返事を代表として出すことにする。

「巴里からの御手紙《おてがみ》やっとつきました。どんなにこの御手紙を待ちましたろう。もう巴里におつきになった時分だ。それから二十日目頃には遅《おそ》くも手紙がつくはずだ。もっと早くつくのが本当だと思って、この三四日、何度郵便函《ゆうびんばこ》を見に参りましたろう。その度にがっかりしました。しかしいくらがっかりしても又すぐ見にゆかないでは落ちつかないのです。

これからはこんなに待たずにすむと思います。御手紙がとどいた日一日は私の御《ご》機嫌《きげん》が頗《すこぶ》るいいので、皮肉な察しのいい兄は私の顔を見て手紙がついたな、何とかいてあった。なぞと言います。それが又実によくあたるので、兄は馬鹿《ばか》ではないと思います。そのかわり、そういう時はうんとあてて上げることにしています。『閉口々々』と逃《に》げる迄はやめないことにしています。そのかわり御手紙が一週間も来ないと私は気むずかしくなるらしく、皆はれものにさわるようにしています。時々兄は気をひきたてようと思うのか、はがゆがるのかわかりませんが、『そんなに早くくるものか』なぞと言います。『知っているわよ』と私は言ってやります。『知っているなら、郵便函にそう何度もゆく必要はあるまい。船は段々遠くなるのだよ。郵便のつくのは二倍おくれることになるのだよ』『知ってるわよ』『知っていて郵便函を見にゆくのか』『見たいから見るのよ』『それが科学的知識がなさすぎると言うのだ』『へんお兄さんには科学的知識がありすぎるのね。私はそんな人は嫌《きら》いです』なぞとわけのわからないことをくやしいので言ってやるのです。兄はわけがわからないので一寸《ちょっと》ぼんやりしているので私は第二弾《だん》をはなってやるのです。『お兄さんには人情はわからないのね。それでよく小説がかけるのね』すると兄は『「馬鹿な女」という題で夏ちゃんのことをかいてやろうかな！』なぞと言います。『かけるならかいて御《ご》らんなさい。読んじゃ上げないから』私は又怒《おこ》ったように郵便函を見にゆくのです。そして奇蹟《きせき》が行われてあなたの手紙が入っているといいと思いますが、やはり来ていません。私は知らん顔して散歩に出て兄に気がつかれないように室《へや》に入って中から鍵《かぎ》をかけて私と誰《だれ》かさんの世界へ入ってしまうのです。あなたのお写真の前で琴《こと》をひいたり、体操をしたり、まだ言えないようなことをしたりするのです。そして兄が居なくなると出て又郵便函を見にゆくのです。郵便函にも一寸気まりがわるい位です。ですが郵便函は兄のように皮肉は言いません。そのかわりいつもすましています。

今日は実に痛快でした。郵便函を見に行って帰ってくる処《ところ》を兄に見つけられたのです。私が喜んでいないので兄は来ないことを察しましたが、私があまりしょげているので黙《だま》っていました。室へ入ってぼんやりしていると、嫂《あね》が来て、『夏子さん、紅茶あがらない』と言うので、『戴《いただ》くわ』と私は元気そうに答えました。私にとっては時間さえたってくれればいいのです。それで兄達の処に行き紅茶をのんでいました。すると又郵便函を見に行きたくなったのです。何げなく立つと、兄はすぐ察して、『今見て来たばかりでもう見に行くのか』と笑いました。

私はそれに答えずに郵便函を見にゆきましたら、ちゃんと兄への手紙三通と一緒《いっしょ》にあなたの巴里で出した手紙が入っているのです。私はわざとしょげた顔して、『ああつまんない』と言いながら兄への手紙をわたしました。そして兄が何か言ってくれるといいと思いましたら、兄は、

『いくら村岡だって巴里につけばいろいろ忙《いそが》しいことがあるから、すぐは手紙はかけないよ』と言ってくれました。

其処《そこ》で私は、

『本当ね』と言いながら、すましてふところからあなたの手紙を出して封《ふう》を切りました。

『なーんだ、来ていたのか』

『すぐはどうせお書きになれないでしょ』

私はそう言ってすぐお手紙を拝見しました。そしてすぐかいて下さったことを知った時の喜び、私は自分の室へとんで入りました。私は室のなかをおどって歩きました。よかった、よかったと思いました。私はすぐ壁《かべ》にはってある丸を六つ消すことが出来、更に凱歌《がいか》を上げました。

た。私は兄の処へとんでゆきました。そして兄に思わず言いました。十一月十二日に神戸におつきになるのですって。

兄はぽかっとして『十一月十二日、随分《ずいぶん》さきの話じゃないか』と言いました。

兄をこんなに馬鹿だと思ったのは生れて初めてです。嫂の方が察しがよく、

『十一月十二日ですって、お楽しみね、すぐ来ますわね』

と言ってくれました、だから私は嫂が好きなのです。

私の生活に目標が出来ました。十一月十二日、何といい日ではありませんか。私はそれまでにうんと勉強します。御身体《おからだ》を御大事に御大事に、私も身体にますます気をつけますが、御地《おんち》は食べものも気候もちがうでしょうから、どうぞくれぐれも御注意願います。

叔父様、叔母さまにどうぞよろしく、私の写真お見せになったの。私の写真があなたの御身体にくっついて巴里のなかを歩いているのですね。本当に子供をつれて巴里にゆける日が来るといいと思いますわ。私は本当は何処《どこ》でもいいの、あなたと旅行が出来れば、私本当に神妙《しんみょう》なの。ですが快活は失いません。この頃は仕方があ

りませんわ、快活泥棒《どろぼう》が私のハートと一緒に巴里に持って逃げていっているのですもの。しかし今日少し帰って来ましたわ。たのしみな十一月十二日、私はお前のくるのを待って待っているよ。

あの方と神戸でお逢《あ》い出来たら。私は泣きますよ。嬉《うれ》しくって。

私の大事な大事なあなた。あなたのおまえより」

二四

「今旅行から帰って来て、お前の手紙を見てすっかりうれしくなっている処《ところ》だ。旅行からは度々《たびたび》手紙やハガキをかいたから、もう見たことと思うが、来たのはよかったと思っている。何か得る所があったと思う。その得たものは日本に帰ってからゆるゆるとあらわれ出すだろう。日本に帰って第一の仕事は、お前と家をもつことだ。僕は何処《どこ》へ行っても貧しい中から買うものは、二人が家をもった時のかざり物とか、つかうものだとか、一々お前に見せて喜んでもらえるものばかりさがしている。それが今度の旅行の最大のたのしみだ。お前と楽しい我家《わがや》をつくる為《ため》に、その材料を外国に買いに来たのだ、なぞと一人で思って微笑《びしょう》する。僕は自分がこんなあまい人間とは今迄《いままで》知らなかった。知る機会がなかった。今の僕はそれを知ってよろこんでいる。人生はたのしく、希望に燃えているものだ。旅行するといたる所、西洋人ばかりだ。従弟《いとこ》がいつも一緒について来てくれるので助かっているが、何となく軽蔑《けいべつ》されている気がする。しかしそういう時、僕は自分には立派な祖国がある。帰る処がある。そして愛するものがいる。それが自分の帰るのを待っている。君達《きみたち》の味わうことの出来ない喜びが、遠い遠い祖国で待っているのだ、という自覚をもって、彼等《かれら》に内心自慢《じまん》する。誰《だれ》が人間の美しさで負けるものか。西洋人ばかりのなかで日本人を見るのは、どうも立派とは言えない。これは服装《ふくそう》のせいも随分《ずいぶん》あると思うが、顔色も体格もいくら自慢しようと思っても、どうもあまり自慢にはならないような気がするが、しかし精神力と頭のよさでは決して負けないつもりだ。彼等の多くは享楽的《きょうらくてき》すぎる。人生の未来に希望をもっている人間は実に少い。大がいはぐうたらにその日その日をくらしている。金をとるのが困難なのか、金の御利益《ごりやく》を知りすぎているのか、金のない不幸を味わいすぎているのか、何でも金々のように見える。これは旅人だから殊《こと》にそう感じるのかも知れない。僕はますますしっかりした人間になりたく思っている。そして彼等を精神力で征服《せいふく》したい誘惑《ゆうわく》をうける。彼等の多くは自分達の文明で満足している。これ以上をのぞむ必要がないような顔をしている。彼等の中にもすぐれたもの、殊に美しいものが居る。しかし僕のよさなぞのわかるものは居ない。居ないのがあたりまえだ。又《また》居てもらいたいなぞとは思わない。僕を知っているものは日本の女性に一人いる。それで沢山《たくさん》だ。僕は時々そんなことを心の内で思って、彼等の大勢いる処を平気で歩き、少しも羨《うらや》ましいなぞとは思わない。

僕は語学の才がない。だから彼等と話も出来ず、芝居《しばい》を見ても、皆《みな》が笑ったり興奮したりするのをぽかんとして見ているだけだ。しかし幸い音楽と画《え》がある。これは世界語だ。殊に従弟は画家だし、僕は画好きだから、画を見ることは喜びだ。これだけは羨ましい。

エジプト、ギリシャ、伊太利《イタリー》、ルネサンス*、等々々すばらしいものがどの位あるか。しかしそれ等を見る時、僕の頭に浮ぶのは夢殿《ゆめどの》の観音《かんのん》*と百済《くだら》観音*である。この作に比べられるような深みのある作はない。

「ざまあ見ろ」と言いたくなるが、しかしミロのビィナス*が日本にあったらと思わないわけにはゆかない。

僕は来たことはよかったと思っている。君の値打《ねうち》もこっちに来てますますわかった気がする。僕は幸福すぎると思う。

今日は八月二十日で、あと消されない丸は八十四である。もう一月たつと巴里を出て、従弟と伊太利を見たいと思う。この手紙の返事はナポリの日本郵船気付にしてもらう方がたしかと思う。

一日々々がたつ。丸が一つずつ消されてゆく。僕はもう時々とんで帰りたくなる。少し遠すぎる。しかし贅沢《ぜいたく》は言わないことにする。どうせ今にいやという程逢《ほどあ》えるのだ。帰ればもう、お前とは一日もはなれないですむ。たのしい生活が始まる。しかし僕達は享楽的になって罰《ばつ》を受けるのを恐《おそ》れる。人生はもっと真面目《まじめ》な、義務を果す、勤勉な生活をしなければならない所として二人で協力して生活したいと思う。だが楽しい我が家のことを思い、お前の主婦ぶりを考えるとついほほえましくなる。人生の最も希望のもてる時だ。最も楽しい空想が出来る自分達は仕合せだ。見知らぬ神に感謝して、喜びの日を謹《つつ》しんで待ちたい。

十一月十二日、その日を待ちのぞんでいる二人の上に祝福あれ。

いつかお前と巴里《パリ》の町を歩こう。僕は相変らず従弟《いとこ》につれられて歩いているので、町の名も、庭の名も、寺の名も覚えずに、見物しているが、お前に見せたい処はいくらでもある。巴里にながくいる人は日本に帰りたいと言う人は殆《ほと》んどない。しかし僕は帰りたくって帰りたくって仕方がないのだ。その理由を知っているものは手をあげなさい。

愛する、愛する夏子」

二五

時がたつことを自分は早いとは思わなかったが、しかし時はいつの間にかたった。巴里にいる日は少くなった。夏子に自分は殆んど毎日エハガキを送った。夏子からも三日にあげず手紙が来た。二人は日がたつのばかりまっていた。

自分は巴里をたつ日が近づくに従って見物に忙《いそが》しいと共に買いものにも忙しかった。安いものきり買えなかったが、叔父《おじ》は夏子さんに何か送りたいが、何を送っていいかわからないと千フランの札《さつ》をくれた。自分はそれで腕時計《うでどけい》を買った。高価なものではないが、僕達にとってはそれでも上等すぎた。その時計の側に頭字をN・Mとほらした。つまりその時計は村岡夏子の所有品である。

自分はとうとう巴里をたつ時が来た。叔父や叔母《おば》は別れを惜《お》しんでくれた。同時に日本へ帰って新家庭を持つことを祝ってくれた。自分は従弟と九月十五日に巴里をたち、それから伊太利にゆきミラノ、フィレンチェ、ローマを見物した。フィレンチェとローマには出来るだけながく居たかった。従弟もすっかり興奮していた。さすがにいいものを見ると時間のたつのを忘れた。忘れている内に日本へつく日、夏子に逢《あ》う日の近づくことは実にうれしかった。

自分は幸い一日も病気をせずにすました。夏子にはいたる所からエハガキを送り、又《また》手紙をかいた。もうナポリを立つのもあと四五日になった。自分はナポリに早くゆきたかった。幸い、従弟がナポリの景色をかきたがっていたので、少し早目にナポリに出た。

郵船へゆくと果して夏子からの最後の手紙が来ていた。自分はあわてて読んだ。

「この手紙が私の御旅行《ごりょこう》さきに送る最後の手紙かと思うと、さすがにいろいろのことが考えられます。御旅行はお楽しかったろうと想像しております。本当に今度は御一緒《ごいっしょ》に参りましょう。もう留守番にはほとほと閉口いたしました。どうも元気にしようと骨折っても、へんに淋《さび》しい時がございます。御無事で御無事で御旅行なさることを毎日祈《いの》っております。この手紙を御らんになるとまもなく船におのりになるのね。そうすれば船はまちがいなく私の方に毎秒大事な方をつれてくるわけですわね。本当にいい船、宝船《たからぶね》よ。お土産《みやげ》を沢山お持ち帰りになるのですってね。どんなに楽しみでしょう。一々あけて見る時の喜び、私、夢中《むちゅう》になって歓声をあげて、でんぐりかえしを三つ位しないとおさまりがつかないと思いますわ。村岡夏子の時計早く見たいわ。今日は九月十二日よ。あと二た月。ながい二た月だが来ることはたしかな十一月十二日。

兄も神戸までゆきます。こないだ実に嬉しいことが御座《ござ》いました。あなたの兄上様から兄と私に芝居《しばい》の切符《きっぷ》を送って下さいました。私は勿論《もちろん》喜んで御招待をうけました。そして其処《そこ》でお目にかかれた方はどなたか御存知、御知らせするのが勿体《もったい》ない気がするわ。おわかりになって、――お母さま！　私もそう御呼びしていいでしょ。本当に優《やさ》しい、いい方、私ぼうとして芝居は何をやっているのかわからなくなってしまいましたわ。

あなたがお兄さまにおすすめになって下さったのですってね。ほめてあげるわ。私もう、ただただお帰りを待っております。

私はいくじなしは嫌《きら》いでございますから、無理にも元気をつけて、生活をひきしめて、御帰りを待つつもりでおります。お手紙やおハガキ毎度実にうれしくたのしみに拝見しています。本当にお金をためて御一緒にゆきたいと思います。

私は毎朝六時に起き、寝床《ねどこ》をかたづけ、女中の世話にはならずになんでも一人でやっております。あなたと御一緒に生活する時の心がけで毎日くらすことにしております。感心でしょ。朝起きて顔をあらい、髪《かみ》をなおし、着物を着かえてから、誰《だれ》かさんに一寸挨拶《ちょっとあいさつ》をし、それから体操を一寸し、それから少しやすんで御飯をたべます。ついおいしいので四杯《はい》はたべます。食客でないのですから、四杯目も威張《いば》って食べることにします。それから誰かさんの本を一寸読みます。詩を小声で朗読して見ます。それから裁縫《さいほう》です。何を縫《ぬ》っているか、おあてになったら御褒美《ごほうび》を上げます。裁縫の先生は私を馬鹿にして先ず赤坊の着物をぬえと申します。いずれ御役に立つでしょうからと言います。それで私は子供の着物を二つぬいました。一つは男の子ので、一つは女の子のです。いつか役に立つかと思ってそっと箪笥《たんす》の抽出《ひきだ》しにしまってあります。それがすんで、今は誰かさんのおゆかたをぬっています。今《いま》迄《まで》あまり好きでなかった裁縫がたのしみになりました。誰かさんのことを考えながら縫うのですから。先生はなかなかすみにおけない方です。それから一週間に三度お琴《こと》の先生に来て戴《いただ》いています。大へん上手になったとこの頃《ごろ》ほめられています。いつかの馬鹿狂言《ばかきょうげん》の時よりはずっと上手になりました。早くお聞きになりたいでしょう。聞くのがいやだと言ってもお聞かせします。この頃やっと音楽というものの感じが出せるこつがわかったような気がします。結局自分の心がしみこむのだと思います。兄が聞いていて、色気が出て来たと言いまして、私からぶたれました。あなたも一つぶって上げたいと思います。これを読む時、きっと打《ぶ》たれるようなことを腹のなかでお考えになるにちがいありませんから。私は千里眼《せんりがん》です。よくわかりますわ。あたったでしょう。本当に千里眼だったらどんなにいいでしょう。

それから料理もならいにいっています。実用向きで金のかかることはならわない方針です。なかなか上手です。早くお帰りにならないと珍《ちん》料理を差上げるわけにはゆきません。母と嫂《あね》は時々珍料理をたべさせられて困っています。あなたはずるいから、少しうまくなるまで帰らないおつもりでしょうが、そうなれば私にも覚悟がありがとう。益々《ますます》珍料理の名人になって、困らせて上げます。早くそうなるといい気味です。早く十一月十二日よおいで、一日千秋の想《おも》いで待っている者があるのを、可哀《かわい》そうとは思わないのか。

もう万事《ばんじ》用意が出来、ただただあなたのお帰りを待っております。

あなたがお痩《や》せになったそうで気になります。あなたに今病気されたら、私は本当に困ります。自分でも自分がだだっ子になったので閉口しています。

この手紙を御らんになる時はナポリですのね。もうじき船におのりになるのね。

本当にとうとう御帰りの日が来たのね。又この前のように私は毎日お祈りしますわ、御航路が平安で、船がおくれませんように。波が静かだったら私のお祈りのせいと思って下さい。波が高かったら、私の情熱の為《ため》だと思って戴きたい、これは嘘《うそ》よ。よき航海であることを毎日お祈りいたしますわ。

うれしい、うれしい日を待っている、あなたのおまえより。

十一月十二日それでは神戸で!!」

二六

自分は神ではない、未来に何が待っているか自分は知らない。夏子の手紙をよんだ時自分はどんなに喜んだか、シベリヤ廻《まわ》りに手紙を出せば船よりも四五日は早く手紙がつくことを知っていたので、自分は喜びの手紙をかいた。

「とうとうナポリに来てお前の手紙を見た。万歳《ばんざい》。

もう三日ねると船にのってナポリを立つ。欧洲《おうしゅう》よ。さよなら。私は又《また》いつか来たいと思います。その時は一人でなく最愛のものと一緒《いっしょ》に。私はその時、今のような淋《さび》しさを知らず、あなたの最もよきものを心ゆく限り見たいと思います。

東洋で一人の男が、あなた達《たち》を讃美《さんび》する。しかしそれは山が山に挨拶《あいさつ》するのであって、奴隷《どれい》が主人に挨拶するのではない。我等が君達の価値を認めるように、君達も東洋の価値を認めなければならない。ギリシャの彫刻《ちょうこく》の美しさに自分は驚嘆《きょうたん》した。東京の真中《まんなか》にその一つをもっていったら、人々はなんと言っておどろくであろう。

その大理石の美しさ、人体をこれ以上美しく表現出来るとは考えられない。だがギリシャの彫刻を見れば見る程《ほど》、自分は夢殿《ゆめどの》の観音《かんのん》や百済観音《くだらかんのん》に頭をさげる。まるで別種の味だ。どっちがいいとは言わない。

しかしギリシャの方により感心するとは言えない。東洋の神秘よ。精神の美しさよ。限りなき慈愛《じあい》の表現よ。だが私は、東洋にギリシャのような美がないことを認める。両方あっていい、両方なければならない。

私はレオナルド・ダ・ヴィンチ*を見た。ミケルアンゼロ*を見た。ラファエル*を見た。チチアン*、レンブラント*を見た。フラ・アンゼリコ*のすばらしい壁画《へきが》を見た。ジョットー*の壁画を見られなかったことは残念だが、このつぎの時見たいと思う。しかし東洋にも、李龍眠《りりゅうみん》*がいる。梁楷《りょうかい》*がいる、牧谿《もっけい》*がいる。空海《くうかい》*、鳥羽僧正《とばそうじょう》*、光長《みつなが》*、信実《のぶざね》*、雪舟《せっしゅう》*等々がいる。まだ他《ほか》にいくらも居る。仏像を見よ。

私は東洋人として、少しも引け目を感ぜず、自分より優《すぐ》れた精神的な人間に逢《あ》ったとは思わない。言葉は通じないでも心と心の接触《せっしょく》は目を通し、顔面を通し、無形の意力をもって行われ、威圧《いあつ》は直接に感じられるものだ。私は彼等《かれら》の内に我等にも劣《おと》らないものがあることを知っているが、我等も少しも劣らないことを直接に感じた。この感じは野々村が僕《ぼく》の感じることを期待していた、期待に背《そむ》かなかったことを喜ぶと共に、彼の直覚力のするどいのに感心する。

僕は興奮して、余計なことをかいた。しかしお前は欧洲を去るにのぞんでこんな一人ごとが言って見たくなる僕の気持を察してくれるだろう。

僕は一人の東洋人として欧洲を歩いて来て、いろいろのことを感じさせられた。それは東洋と西洋の関係だ。僕たちは、西洋から教わるものは、まだまだ、沢山《たくさん》あると思っている。

しかし、同時に、東洋から西洋に教えたいものも、まだまだ沢山あることを信じている。

彼等より、精神的に、取るものは取り、与《あた》えるものは与えたいと思っている。

僕はそういう意気を感じて、態度は何処《どこ》までも礼を失わず、厚意《こうい》を失わなかったが、同時に、彼等に媚《こ》びる何等の理由も認めなかった。しかし日本に帰ったら、こんなつまらぬ緊張《きんちょう》はせずにすむだろう。異邦人《いほうじん》*という感じにとっつかれて異邦人ばかりのなかを歩くのは無心とはゆかない。

お前がこの手紙を見て四五日たつと僕も神戸につくのだ。その時の喜び、人生の門出《かどで》に与えられている最上の賜物《たまもの》。それを二人はのこりなく味わうのだ。この賜《たまわ》りものに報《むく》いるにも我等は謹《つつ》しみを忘れてはならない。よき仕事とよき子供、それはこの恩に報いる唯一《ゆいいつ》の仕事だ。物質的には質素な、しかし精神的には豊富限りなき喜びの世界。私が仕事しているわきにお前が居る。私が仕事を休んでいる時、お前の琴《こと》が聞ける。一日の仕事が終ったら、たのしい散歩。珍《ちん》料理は一寸《ちょっと》閉口だが、その位は我慢《がまん》出来る。いろいろ楽しい想像がむらがり起る。本当に早く帰りたい。万事はそれからだ。今度の旅行もその時、本当に効果をあらわすだろう。愛する、愛する夏子。

それでは十一月十二日神戸で。この手紙を見る時はもう十一月になっているだろう」

自分は従弟《いとこ》に送られて予定通りに無事に船にのった。船は予定通りナポリを出た。ヨーロッパよ。またいつか自分はくるだろうことも事実だ。その時は二人で、或《あるい》は小さいものをよせて五六人で。

ベスビオ*はもくもくと煙《けむり》をはいていた。その姿は実に美しく立派だった。自分は従弟に手をふると同時に、この山にも感傷的に手をふった。

船は進み出した。東に向う。なんといっても一秒ごとに日本に近づく。彼女に近づく、やすみなく進む船に自分は感謝したかった。スクリューの音がいかにも勇ましく、たのもしく聞えた。日本人の多くいる日本の船のこともうれしかった。大日本よ。お前の船にのって日本に帰る喜びは、西洋人ばかりいる所に居たものでないとわからない。殊《こと》に自分のような日本語きりしゃべれない者は。

天気がよかった。自分は万事うれしかった。無事に船にのったことを無電で母と夏子に知らせることを勿論《もちろん》忘れなかった。

今度の航路は楽とばかりは言えなかった。暑さにも参った。しかし喜びはそんなことにまけてはいなかった。時間がたつのが遅《おそ》かったが、日本に向っていることはまちがいない事実だ。そして其処《そこ》には待っている人が居る。僕は船の上で一日々々お前に近づくのをよろこんで時間のたつのが遅いのをはがゆく思うだろう。だがすぎて見れば、それも楽しい思い出になるだろう。

喜びの待つ国へ帰る男の喜び

その喜びを知るものは

二人

待つ人の帰る喜び、
その喜びを知るものは
二人
その二人は
十一月十二日を待ちかねている。
その神戸であうのだ。二人は。
ああその喜び
神の祝福よその上にあれ。
愛する愛する夏子。

二七

船足のおくれはしないかを一番心配したが、コロンボに来た時も、予定通りであり、ペナン、シンガポールについたのも、予定とそう狂《くる》わなかった。これならまちがいなく十一月十二日に神戸につくと、ボーイも言った。シンガポールについた時、自分は思いがけず夏子の手紙をうけとった。

「この前の手紙でこれが御旅行中の最後だと思っていました。それで昨日あなたのノートルダム*の前でうつした御写真《おしゃしん》の入っているお手紙を戴《いただ》いて夢中《むちゅう》で喜んで写真を自慢《じまん》して兄に見せて、『もうおたよりもかけないしつまらないわ』と申しましたら、『シンガポールに出したらまだ大丈夫《だいじょうぶ》まにあうよ。船で退屈《たいくつ》しているだろうから、いくらながいだらだらした手紙をかいて出しても、喜ぶだろう。三べん読んだら香港《ホンコン》についたというような手紙をかいたらいいだろう』と言いました。少し癪《しゃく》にさわりましたが、やはり兄は利口だと思いました。考えると私の方が少し足りないようです。しかし馬鹿ではありませんから、愛想をつかしてはいけません。本当は安心しているのよ。

そういうわけで今日は思う存分かいて、あなたをなやまそうと思っています。これをおよみになる時はもう十一月になっている頃《ころ》と思います。やっとシンガポールまでいらっしゃったのね。お目出度《めでと》う。もう少しの御辛抱《ごしんぼう》、いくらおやせになってももう大丈夫。私がついています。本当に御丈夫《ごじょうぶ》でようございました。御写真拝見しましたらますます早くお逢《あ》いしたくなりました。早速皆に一通り見せて、額に入れ壁にかけました。額縁は兄の処から一番上等の、レオナルド・ダ・ヴィンチの小さい複製が入っていたのをとり上げたものです。兄はそれはいかんと言いましたが、十一月十二日迄《まで》という約束《やくそく》でやっと許しを得ました。あなたが東京に帰ればもうおかけしないでもよろしいからね。何といったって本ものの方がいいにきまっていますもの。

私はお写真を壁にかけて、その前でいろいろ芸当を一人でしてお目にかけました。もうあと四十四の辛抱、消された丸の多いこと。

昨日も私を前において母と兄は、結婚式は簡単に気持よくすることなぞ話していました。私は柄《がら》になく赤い顔して聞いていました。『その方がいいだろう』と兄が言いますので、『ええ』と言っておきました。お兄さんのお考えもそうらしいのです。兄は時々逢うらしいのです。何処《どこ》で逢うのか知りませんが。

それで私は昨晩、結婚式の時のことを想像しました。あなたはきっと気むずかしい顔をなさるだろうと思いました。私はうつむいていることにきめました。二人は他《ほか》の方が見ない時に、一寸《ちょっと》横目で見合って笑うだろうと思います。それを他の人に見られそうにも思いますが、見られたら見られた時です。それから私はとてつもないことを考えました。そして一人で笑ってしまいました。

それは皆が真面目《まじめ》でいる時、宙がえりをして見せたらどんなに驚《おどろ》くだろうと思ったからです。その時喜ぶのはあなただけで、他の人は気違《きちが》いだと思うでしょう。しかし、そんなことはしませんから御安心。あなたがしろと言えばしてもよろしい。しろと言う勇気があなたにあれば。

それからあと、御一緒《ごいっしょ》に何処へ行こうかと思いました。その後のことは知りません。あなたにお任せします。その話はそれでおしまい。

さて、私は、かくて村岡夏子と申します。お船が退屈と思うので、馬鹿なことをかくのですからそのつもりで御読み願います。

三日前に同窓会がありました。時間つぶしに出て見ました。あつまるもの十七人、その内十一人は結婚していました。その内の一人が私にこう申しました。

『あなたは結婚なさったの』

『ノー』と私は言いました。

『あなたは今でも独身主義』と他の人が聞きましたから私は、

『さにあらず』とすまして答えてやりました。皆笑いました。

『いい方があるの』と図々《ずうずう》しいのが申します。私は何と答えていいかわからないでいますと、もっと図々しいのが言いました。

『村岡さんでしょ』

さすがの私もこれには困りましたが、逆に出た方がいいと思いましたので、

『もちよ』と言いました。

『いつ結婚なさるの』とおせっかいものが聞きます。

『天機もらすべからず』*と言って逃《に》げようとしましたが、敵もさるもの、

『私見ましたわ』と言うものが飛び出して来てさすがの私もたじろぎましたが、負けては、ひいてはあなたのこけん*に関すると思いましたから、

『何処で』と聞いてやりました。

『私も見たわ』と言うのが又《また》出て来ました。『まあ、すごいのね』と言うものまでとび出し、散々《さんざん》でしたが、そう言われて嬉しいのですから困ったものです。

『あなたは嬉しそうな顔をしていたわ』

などと敵は得たりかしこしと追求します。

『なんとでもおっしゃい。今にもっとあててあげるから』

『家をお持ちになったら拝見に上るわ』

『あてでほしかったらいらっしゃい』

『皆でゆきましょうよ』と言う心臓の特大製や、『行かない方が無難らしいわ』と言う常識家などがとび出し、大さわぎでした。

おかげで私は愉快《ゆかい》になりました。どうも考えて見ると私の心臓が一番強いらしく、これも誰かさんの感化ではないかと思われました。

実際この頃《ごろ》の自分がすっかり昔《むかし》の自分でなくなって来たことを感じます。

琴《こと》は少しずつ上手になって来ています。先生も質がいいと言ってくれます。御世辞にはちがいありませんが、素人《しろうと》には惜しいと言ってくれます。もっとみっちりやると琴で御飯が食べられそうです。しかし私は、そううまくなりたいとは思いません。ただ誰かさんのことを想《おも》いながらひいているばかりです。正直言えば時間つぶしです、ただ日さえたってくれれば、もう退屈はしないですみます。十一月十二日以後は月日の歩みはいかに遅《おそ》くも結構ですが、それまでは早くたってもらいたいものと、時間の神様の処《ところ》に相談にゆきたいと思っています。あなたも船では本当に御退屈でしょう。しかしもう一息ですわね。船は少し位ゆれてもいいからおくれないようにおたのみします。少しあなたを苦しめて上げたい。これは嘘《うそ》です。私の大事な大事なあなたを苦しめるものがあったら、私は天使となって、そのものと戦います。偉《えら》いでしょう。

私は、あなたがお帰りになれば本当に快活な女になれると思います。私は何もかも幸福です。ただあなたが居ないのがいけない。だが何といっても帰っていらっしゃる。その日が一秒々々一分々々、一時間々々々、一日々々と近くなるのは事実です。

恐《おそ》ろしいのは天災、それと病気、それだけは神様にゆるしていただくわ。私は神戸でお逢いして、一緒に東京へ御帰りする時のことをつい考えますわ。いくらお話ししてもつきないと思いますわ。いつまでも見たり見られたり、うるさい程《ほど》お世話をやいて上げますわ。

それからつづいて嬉しいことだらけ、私はそれを考えると自分程仕合せ者はないように思います。ここまで書きましたら、兄があなたのミラノからの御手紙を持って来てくれました。いよいよ巴里《パリ》をおたちになったのね。万歳《ばんざい》。

私はお手紙をよんで夢中になり、お手紙を口に銜《くわ》えて三度でんぐりかえしをいたしました。これは内証です。

私のようなものをどうしてそんなにあなたは愛して下さるのでしょう。私は本当に幸福よ。『最後の晩餐《ばんさん》』*御らんになったのですってね。本当にそんなにすばらしい画《え》なの、私も見たかったわ。私の写真に見せて下さったそうでありがとう。だが私には見えませんでしたわ、あなたの誠意が足りなかったのではないの。でもうれしかった。

ここまでかいた時、兄が頓狂《とんきょう》な声を出して、

『夏ちゃん、夏ちゃん』とよびました。

私は『うるさい』と余程《よほど》言おうかと思いましたが出かけて見ました。そして怒《おこ》らないでよかったと思いました。

母と兄と二人で、手紙を前において何か相談していたらしいのです。その御手紙はお兄さんから私の兄にあてての御手紙で、お母さまが私の齢《とし》をおききになって、

おしらべになったら今年の内、少くも旧の今年の内に式を上げないといけないそうで、遅くも来年の一月中には式をあげたいと思うが、都合はどうかと御たずねの手紙だったのです。母も兄もあまり急なので十分用意は出来ないが、お母さまがそうおっしゃるなら、御気にめすままにした方がいいだろうということになったのだそうで、私の考えはどうかと言うのです。私は早いことに異存はありませんと余程言おうかと思いましたが、そんな言い方をしないでも遅れるわけではありませんから、『私には異存なんかありません、万事御任せするわ』と言いましたら、なんでも皮肉を言わないではおさまらない兄は、『いやにあっさりしているな。もっと気まりわるそうにするものだぞ』と言いました。

私は憎《にく》まれ口が喉《のど》まで出て来ましたが、藪蛇《やぶへび》になると困りますから、黙《だま》って逃げて来ました。

私はいよいよあなたの妻。おかえりをお待ちしています。

この頃は神戸という字がいやに目につきます。本当に船がおくれませんように。

私、本当に幸福です。

それでは十一月十二日に神戸で、神戸で、神戸で、神戸で！

あなた様　　　　　　　　　　妻」

二八

自分はその手紙を見てすっかり有頂天《うちょうてん》になった。もうじき日本につく。あと十五日！

船はシンガポールをたちそうでなかなかたたなかった。荷積《にづみ》が多すぎるのが、腹が立った。いくらでも荷がある。

しかし遂《つい》に発《た》った。日のたつことの遅《おそ》さよ。だが船はたしかに進んでいるのだ。時は過ぎてゆく。いよいよ二三日で香港《ホンコン》につくという時、海は油を流したように静かで、そよかぜが気持よく吹《ふ》いていた。南海独得の紫紺色《しこんいろ》の海がへんに美しく、遠く三四箇所《かしょ》にスコールらしいうすい黒幕が天から海へたれていた。船の進みも気持よく、エンジンの音も船の健全を思わせてたのもしかった。

僕《ぼく》は一人でぼんやり海を見ながら、想《おも》いは日本にはせ、夏子との再会のことなぞ考えていた。

其処《そこ》にボーイが来て、一つの電報を僕に渡《わた》した。僕は開けて見ないでも内容はわかっていると思った。

「ゴブジ　オカエリヲマツテイマスナツコ」

そんな内容にちがいない、当らずとも遠からずと思った。

そして僕は平気であけた。だが其処にかかれてある文句はなんであったか、神ならぬ身にしても、あまり予期出来ない文句であった。

「ケサ三ジ　ナツコリユウコウセイカンボ　ウデ　シスカナシミキワマリナシスマヌノムラ」

今朝三時、夏子流行性感冒で死す、悲しみきわまりなし、すまぬ、野々村。

自分はやっとそう読んだ時のおどろき、悲しみ、こんな悲惨《ひさん》なことが現実としてあり得るかと思った。自分は泣きながら誰《だれ》もいない所に逃《に》げこんで泣けるだけ泣いた。しかしいくら泣いても事実はどうにもならない。

あまりに残酷《ざんこく》だ。あまりにひどすぎる。あまりに夏子が可哀《かわい》そうだ。僕は実際どうしていいかわからなかった。一思いに海に飛び込《こ》みたいとさえ思った。

しかしその時、自分はもしかしたら、誰かの嫉妬《しっと》のいたずらかとも思った。そういうこともあり得ないこともないと思った。

それで自分はすぐ無線電信で、

「ナツコノシンダ　トイウデ　ンミタホントウトハオモワレナイガ　ホントウカ」

と野々村に打った。

数時間後に僕は又《また》電報を受けとった。

「ナツコ三ヒマエヨリキユウニビ　ヨウキツイニナオラズ　シラセタクナカツタガ　イイチニシラセタカワイソウナヤツダ　ツタダガ　ウツクシクヘイワニシンダ　キミノコトキニシテシナヌトイツテタガ　シンダ　アアボ　クモコンドホド　マイツタコトハナイオサツシスルノノムラ」

二九

人生は無常であり、悲惨《ひさん》なことはいくらでも起り得ることを僕は理窟《りくつ》では知っていた。しかし自分がこんな目にあうとは、逢《あ》うまでは思わなかった。あんないい人間が、あんな丈夫《じょうぶ》だった人間が、こうもろく死ななければならないのか。あんなに逢いたがってくれたのに、遂《つい》に僕の帰るのも待てずに散っていったのが、どう思ってもあきらめがつかない。

僕は誰もいない処《ところ》をさがしたが、船の中だし、二等だったので同室のものが二人いるので、心ゆくばかり泣くわけにもゆかなかった。人が寝《ね》しずまってあたりがしんとしているなかを、声がもれないように忍《しの》び泣いた。

しかし人々は僕の様子を変に思った。今迄《いままで》僕はなんとなく元気にしていた。ところが僕は飯も碌《ろく》に食べず誰も居ない処に逃《に》げては泣き、かくしてもかくし切れない泣きはらした目をしている。人々は僕の許嫁《いいなずけ》が死んだことを知った。僕は黙《だま》ってはいられなかった。人々は同情してくれたが、その同情も僕の心の底にはとどかない。

人々は僕に万一のことがありはしないかと注意した。

もう自分は船が進むのが遅《おそ》いとは思わなくなった。日本へつくのが却《かえ》って恐《おそ》ろしくなった。何ということが出来たのだ。とりかえしがつかない以上だ。

あわれなあわれな夏子！　どうして死ななければならなかったのだ。あまりにひどすぎる。自分は思い出すまいとすればする程《ほど》、思い出される。すると可哀《かわい》そうで可哀そうで仕方がなく、ついむせび泣くのだった。みっともない、男だと思うが、しかしいろいろのことが思い出されると、どうにも辛抱《しんぼう》が出来なかった。

この船で一番幸福だった、一番早く日本に帰りたがっていた自分は、今や一番不幸な、船なんかいつ着いてもいいというような人間になった。

どうしてこんなことが出来たのだ。自分も一思いに死にたい。そんな気もするのだった。しかし勿論《もちろん》、僕は死ねる男ではなかった。しかし、自分の心はすっかり希望を失った。生きる太陽を失ったのだ。

だがこの時、かすかに自分の方に愛の光を送ってくれるものがあった。それは謙《けん》遜《そん》な無私の愛だった。それは太陽がある間、つい忘れていた暁《あかつき》の明星《みょうじょう》のような光で、自分を遠くから照らしているのを感じた。それは母だった。

今迄自分は殆《ほと》んど自分を待っている母を忘れていた。忘れてはいないにしろ念頭におかなかった。おいていたろうが、夏子のことを思う方が強すぎた。

今、自分は不幸のどん底で、母の愛を感じた。待っていてくれる！

しかしそう思うと同時に又《また》夏子のことが思い出される。何ということが出来たのだ。

三〇

自分はその時受けた悲哀《ひあい》をここに如実《にょじつ》にかくわけにはゆかない。自分は一瞬《いっしゅん》にして齢《とし》をとった。自分はうちくだかれた。立ち上る力もなかった。しかしいくら悲哀にとざされていても船は同じように進んだ。香港《ホンコン》でも上海《シャンハイ》でも自分は上陸する勇気はなかった。ただ謹《つつ》しんでいた。

自分は生きているものが、死んだものにたいする無力をどんなに残念に思ったろう。もうどうしたって慰《なぐさ》めようがないのだ。さぞ苦しかったろう。自分も逢《あ》いたかった。せめて息をひきとる時に手でも握《にぎ》ってやりたかった。何と思ってももう駄目《だめ》なのだ。

船は予定通り実に正確に進むのが、却《かえ》って今は腹立たしい気さえした。

十一月十二日、あんなに夏子が待ってくれた、又自分も待ちに待った十一月十二日は遂《つい》に来たのだが、そして船はちゃんと神戸についたのだが、人々は喜んで大はしゃぎしていたが、僕は失心したもののようにぼんやり船室の内に腰《こし》かけていた。

其処《そこ》にどやどやと入って来た者がある。僕はぼんやりその方を見た。

それは野々村と兄だった。野々村は声をあげて泣いて、僕の手を握った。

僕も初めて誰《だれ》はばかることなく思い切って泣いた。兄も泣いた。

ああ、夏子が生きていたら。しかし僕は泣けるだけ泣いたら少し気がらくになった。自分は立ち上った。そして二人に貴《とうと》いもののようにつきそわれながら日本の地の上に立った。二人は怖《こわ》いものにさわるように僕をいたわってくれた。

僕は二人に心配かけたくないと思った。夏子のことは誰も口にのぼす勇気はなかった。だがお互《たがい》の心はよくわかりあった。自分は夏子の臨終《りんじゅう》の様子をききたいと思ったが、それを口にのぼせば又泣き出さなければならないのがわかっているので、聞くことは出来なかった。

「お母さんが大へん心配していらっしゃるから電報をうってくる」と兄は言って、電報うちに出かけた。

野々村と二人は黙《だま》っていた。その内にとうとうたまりかねて僕は又泣きじゃくりした。

三一

神戸に泊《とま》ろうかと二人は言ったが、僕はその必要はないと言った。僕は二人があまり僕のことを心配しているので、心配させたくないと思った。今更《いまさら》心配させても、事実はどうにもならないのだ。それより早くわが子の帰るのを待っている母の懐《ふところ》に帰ろう。そして自分の室《へや》に入ろう。そして思う存分泣こう。

自分は生れて初めて汽車の一等にのせられて東京へ帰ることになった。見るもの聞くもの夏子のことを思わせないものはなかったが、僕は頭が疲《つか》れていた。何といっても日本に帰ったという気と、同情されているという気もちは自分にいく分落つきを与《あた》えた。自分は眠《ねむ》いからと言って横になった。その内うとうとした。二人は実に僕を大事にいたわってくれた。そのことはありがたかった。

汽車は東京駅に着いた。嫂《あね》と野々村の奥さんとが来ていた。

「お帰り遊ばせ」と嫂はそれでも少し微笑《びしょう》して言った。僕も一寸《ちょっと》微笑して見せた。それは不自然なものだった。しかしおかげで自分は泣かずにすめた。

家に帰ると母が玄関《げんかん》に出て来て、

「よく帰ったね」と言った。そして母の方が泣き出した。それは嬉《うれ》し泣きのように僕には思えた。すると同時に僕はとめどもなく悲しくなった。夏子が生きていたらということがはっきり感じられて来た。死ぬということは実によくない。自分はこんな取りかえしのつかないことがあるかと思い、さびしみが骨の髄《ずい》まで徹《てっ》した。

暫《しばら》く泣いていた。室の外に誰《だれ》か来た。母の声で「御飯の用意が出来て皆待っているから来ないか」と言った。もう夜の十時半頃になっていた。

「今ゆきます」僕はそう言って、鼻をかみ目をふき、やっと泣きやんだという顔して食事しに行った。其処《そこ》には僕の帰ったのを祝う小宴《しょうえん》が用意されていた。

楽しかるべき帰って来た息子《むすこ》を祝う祝宴にのぞむのには、自分の心はあまりにも淋《さび》しかった。しかし泣くのはよそうと思った。

三二

その晩、自分が夏子に就《つい》て聞くことが出来たのは墓地の場所だった。谷中《やなか》*に野々村の家の墓地があって、其処に葬《ほうむ》られているというのだ。僕は翌朝、朝飯をたべるとすぐ一人で飛び出して谷中の墓地に行った。茶屋で花を買って聞いたらすぐわかった。

新らしい墓標、其処には村岡夏子とはせずに野々村夏子とかかれていた。そのことが自分に耐《た》えられない悲しみを与えた。最後の手紙に小さく妻とかいてよこしたことを思うと、自分は耐えられなかった。

花をあげて暫く頭をさげた。この墓標の下には彼女《かのじょ》の一壺《つぼ》の灰があるのだ。ただそれだけが彼女のこの世に残したものだ。

自分は去りかねて居た。其処に野々村が来た。「今君の所へよって見たら、いなかったので、一寸《ちょっと》お参りに来たのだ」と野々村は言った。

「本当に可哀《かわい》そうな奴《やつ》だ」野々村は墓標に水をかけながら言った。

二人は泣いた。

「二人で泣けるだけ泣いてやろう」野々村はそう言った。

「こんな、こんなことになるとは思わなかった」

僕はそう言った。二人は恥《はじ》も外聞も忘れて泣いた。

「あんなに丈夫《じょうぶ》だったのに、どうしてあんな風邪《かぜ》位にやられたのか。尤《もっと》も今度のスペイン風邪*という奴は丈夫なものの方がやられるらしい。本当に何ということが起ったのだ」

野々村はなお一人ごとのようにつづけた。

「夏ちゃんは自分では死ぬとは思っていなかった。苦しいなかでも、すぐなおると思っていた。私今はどんなことしても死ねないわ。村岡さんにお逢《あ》いしない内は私は死ねないわ。お兄さん大丈夫、死ぬようなことはないわ、と言ったこともあるが、私大丈夫死なないわ。今死んじゃ村岡さんにもすまないわ。そんなことも言っていた。又《また》、村岡さんに私逢いたいわ、今に逢えるわね。とも言っていた。そのうち一時工合《ぐあい》がよくなって、元気になり、大変気持がよくなったわ。私嬉《うれ》しいわと言った。だがそのあと遂《つい》にやられてしまった。何か言ったが、その意味はわからなかった。だが死んだ時、随分《ずいぶん》平和な顔をしていた。僕が見ても神々《こうごう》しく思った」

野々村はもう泣かなかった。

「僕は妹が可哀そうで仕方がなかった。しかし死んでしまえば人間は実に楽なものだと僕は思って、心をなぐさめている。妹は本当に成仏《じょうぶつ》したのだと思っている。いくら可哀そうに思っても、妹には通じないが、実に可哀そうなのは生き残った人間で、死んだものは、もうあらゆることから解放されたものだ。僕はそう思うことで、妹は今は不幸でも悲しんでもいないと思っている。だが人生にどうして死という馬鹿なものがあるのか、僕は本当に腹を立てたり、悲しんだりするのも事実だ。しかしそれは生き残ったものの心理で、死んだものの心理とは思わない」

野々村はそうきっぱり言った。

「だから妹はもう可哀そうでないと僕は信じている」

「君の言う事は本当だろう。だが僕は夏子が可哀そうで可哀そうで仕方のないのも事実だ」

僕はそう言った。

「そうだ、君は生きているのだから」

野々村はまだそうがんばった。だがそう言われても僕の心は慰《なぐさ》められなかった。

野々村はこないかと言ってくれたが、僕はこれ以上の打撃《だげき》はうけたくなかった。

自分の家に帰った。淋《さび》しさと、とりかえしのつかない気持、どうしたら自分が助かるのかわからない悲哀《ひあい》、それがますます自分をとりかこんで、自分をふみにじろうとしているような気がした。

悲しみに僕は圧倒《あっとう》されかけて、辛《から》くも生きている状態だった。

三三

ある日、僕の処《ところ》に若き友人が来て、

「君の歓迎会《かんげいかい》をやりたいと思うが、どうだ」と言う。

「許してくれ!」

「野々村さんももっと先がいいだろうと言うのだが、僕達は送別会の時、野々村さんの所で又《また》歓迎会をやろうと約束《やくそく》したので、その約束を果したいと話しているのです」

「野々村の処で」僕は僕の神経をあまりに察しなさすぎるのに驚《おどろ》いた。しかし次の瞬間《しゅんかん》に、夏子にも霊《れい》があれば野々村の所でやれば一緒《いっしょ》に其処《そこ》に来て僕を歓迎してくれるだろう。ふとそんな気がした。そして自分にはあまりに残酷《ざんこく》な思い出の多い処なのに、僕は却《かえ》って承諾《しょうだく》した。

あとで自分でも承諾した心理が少し変に思われた。自分は一種の復讐《ふくしゅう》的な気もした。

夏子を殺した自然に、自分を参らして見せるというような顔している自然に、自分は戦ってやろうという気になって、敵に後《うしろ》を見せたくなかった。

自分はじっとしてはいられなくなった。じっとしていると淋しすぎるのだ。自分は本を読んだり、出鱈目《でたらめ》に歩きまわったりした。

久しぶりの日本、西洋を暫《しばら》くでもうろついて来た自分は、日本人ばかりの処を歩くのがいかにも気楽に思えた。

外国でも僕はいろいろのことを考える男だから、つい外国へ来ているのも忘れて何かものを思って歩いている。夏子のことなぞもつい想《おも》って歩いていた。すると第六感*で誰《だれ》かに見られていることに気がつく。其処で初めて我に返ると、自分は異人種のなかを一人黄色い顔し、扁平《へんぺい》の鼻をし、黒い髪《かみ》に、下手に洋服を着て歩いていることに気がつく。皆の目が見ている。つい無心になれない。日本に居る時つかわずにすむ神経をつかう。日本のなかを歩いているとそんなことはない。皆日本人だ。何となく気楽である。

しかしそれだけ夏子のことがふと頭に浮《うか》んでくる。いつも考えないように用心しているのだが、つい考えられる。すると往来でも何処《どこ》ででも泣きたくなるのだ。自分はあわてて帰ってくる。

二三日後に野々村が来て、驚《おどろ》いたような顔をして聞いた。

「僕の処で君の歓迎会をやると言ってさわいでいるが、君は承知したと言うが本当か」

「君の処でさえ困らなければ、僕は夏子さんの追悼会《ついとうかい》のつもりでもいるし、なんだかその会に夏子さんの霊が臨席してくれそうにも思うのだ」

「君がそのつもりなら僕も承知するが、一寸《ちょっと》その話をきいた時驚いたのでやって来た」

「僕は今でも随分《ずいぶん》参っている。却《かえ》って段々ひどく淋しくなり居ても立ってもいられないような気になる。しかしそれだけに戦ってやろうという気もするのだ。負けてはやらないと思うのだ」

「それを聞いて安心したよ。夏子の霊があるとすれば、きっと喜ぶだろう」

「僕を助けてくれるように思うのだ」

僕はそう言った。顧《かえり》みると、今でも随分思い出すたびに泣くが、いくらか泣く度数はへっているようでもあるし、食事も、いくらか進んで来た。夏子の死の打撃から起き上ったというのとはちがうが、いくらかあきらめが出て来たとは言えるかも知れない。

しかし取りかえしのつかない淋しみに十重二十重《とえはたえ》ととりかこまれて気でも狂《くる》いそうな時がないとも言えない。

遂《つい》に歓迎会の日は来た。

三四

しかしその前に僕は野々村の家を訪ねて夏子の室《へや》に初めて入った時のことを忘れるわけにはゆかない。室は昔《むかし》のままにしてあった。僕は入るのが怖《おそ》ろしかった。入れば必ず悲しみに耐《た》えかねることを知っていたから。しかし入らないわけにもゆかなかった。野々村ももっとあとの方がよくはないかと言った。しかし入らないわけにはゆかなかった。そして野々村にたのんで僕一人入ることにした。僕は恐《おそ》る恐る入った。そして戸をしめた。西洋間である。僕はなるべく感情を殺し冷静に室を見《み》廻《まわ》した。僕の写真は昔のままに置いてあり、僕のノートルダムで写した写真がテーブルの前にかけてあり、その下に百八十いくつの丸をかいた紙がはってあり、それがあと十八残して全部消してあった。自分はそれを見ると耐えに耐えていた悲しみが一時に爆発《ばくはつ》した。

僕は夏子の椅子《いす》に腰《こし》かけて夏子のテーブルの上に泣き伏《ふ》した。泣けるだけ泣くと自分は夏子が自分に、

「いい子、私のためにそんなにお泣きになるもんじゃありません。御元気《おげんき》になって下さい」と囁《ささや》くような気がした。

「元気にします。元気にします」と自分は心の内で言ったが、同時に、

「あなたが居ないのに元気になれと言うのは無理です」と言った。

「そんなことをおっしゃるものではありません」

そんな声が聞えそうな気がした。

自分はやっと泣きやんで立ち上り又《また》室を見た。彼女《かのじょ》の生きていた時の様子がありありとわかる。

ここで僕へ手紙をかき、又僕の手紙を読み、又でんぐりかえしもしたのだと思った。さびしみはしつっこく僕をおそって来た。

僕は室の何処《どこ》ということなしに頭をさげて室を出た。野々村の室に帰って自分は黙《だま》って其処《そこ》の椅子に腰をおろした。野々村も黙っていた。

僕は言った。

「ともかく戦うつもりだ。負けていない」

「僕もそれを信じている。夏ちゃんもそれを望んでいるにちがいない」

「だが、実にさびしい」

「よくわかる」

「君のお母さんにだけこの気持がわかるだろう」

「母は実に気の毒だ。生きていたからこんなさかさまごとに遭《あ》ったのだ。死んだ父が羨《うらや》ましいと言っていた」

人生に死が与《あた》えられていることはあまりにも残酷《ざんこく》なことだと思った。殊《こと》に若いい人間が死んでゆくのは。

しかしそれが事実なのだから、どうすることも人間には出来ないのだ。

僕は一人になりたくって、野々村の処《ところ》を出た。

そんなことがあって四五日して歓迎会《かんげいかい》に僕はのぞんだのだ。

三五

僕が行った時はもう五六人の人が集っていた。彼等《かれら》は何にも知らずに元気に談笑《だんしょう》していた。僕を見ると、その内の一人が、

「お目出とう」と言った。

あと二三人つづけてそう言ったが、僕の気持を知っているものは、さすがにそういう言葉は言えなかった。

僕はあまりさわいでは野々村のお母さんに悪いと思った。それで野々村に、

「君のお母さんは」と聞いた。

「静岡の家に一昨日から泊《とま》りがけで行っている。弟の処で子供が生れるのでね」

「そうか。それは御目出たいね」

「夏子が生れかえってくるのかも知れないぞと母は言っているがね。尤《もっと》も今度は男

の子が生れるといいと前から言っているのだがね」

自分はそれを聞いて、「よかった」と思った。しかし「生れることが幸福か」、どうか僕にはわからなかった。

段々人が集った。一人旅行しているものの他《ほか》全部集った。当時スペイン風邪《かぜ》が流《は》行《や》って死ぬ人も少くなかった。現に夏子もそれでやられたのだが、他の連中は皆元気に顔をそろえた。

欠けているのは旅行中の一人の他は一番大事な夏子だけであった。しかし自分は今日は泣かない、涙《なみだ》を忘れた人間になろうと決心して出て来た。

会場は以前と同じ広間だった。

自分はややもすると夏子が生きていたらと思わないわけにはゆかなかったが、さすがに元気な人々が集っているので、自分もわりに元気にして、自分の口からも笑い声がうつろに響《ひび》いた。

食事も前と同じだった。皆、僕にいろいろ話しかけた。自分はそれに簡単に答えた。

遂《つい》に野々村は立った。皆拍手《はくしゅ》した。

「村岡君が無事に帰って来て、この前送別した同じ室《へや》で歓迎会が出来たことは実に目出度いと言っていい。村岡君が西洋からよこした雑誌や新聞への寄稿《きこう》は皆も読んで面白《おもしろ》く思い、村岡君らしいと思った。村岡君があとで話してくれると思うが、僕達は村岡君が西洋へ行ったことは無駄《むだ》ではなかったと思うと同時に、僕個人としては村岡君に大へんすまなくも思っているのです。ここは内輪の会でもあるし皆さんも御存知と思うから私は敢《あえ》て言いますが、私が村岡君の西洋へゆくのを最初にすすめた一人で、その時、村岡君は僕のこの秋死んだ夏子と許嫁《いいなずけ》のような間柄《あいだがら》にいたので、ゆくのを躊躇《ちゅうちょ》していた。神ならぬ僕は妹が村岡君の旅行中に死ぬとは思わず、妹のことはひきうけたから安心してくれと言ったのです。ところが村岡君の留守に妹は死んでしまったのです。僕はこのことに就《つい》ては何と村岡君にあやまっていいかわからないのです。ひきうけた自分の愚《おろ》かさが、実に僕には後悔《こうかい》されるのです。あやまりたいと思いながら今日まであやまれなかった。村岡君はいくら悲しくいくら腹を立てても、反理性的にはなれない。私の責任をせめてはくれませんが、僕の方ではあやまりたかったのです。それで僕は村岡君の今後の健康と、健闘《けんとう》を切《せつ》に切に切望するのです。妹もきっとそれをのぞんでいると思うのです。自分の責任をのがれて、村岡君の奮闘を望むのは虫がいいようでもありますが、僕達は村岡君に多くを期待しているので、こういう無理なこともおたのみするのです」野々村はそう言って泣きそうになり、「僕はもうやめます」と言った。

拍手はまだらに聞えた。皆、沈黙《ちんもく》した。そこで僕が立ち上った。皆拍手してくれた。

「野々村さんの」と言って自分はもう泣きそうになったが、やっと考えの方向を転換して泣かずにすませてつづけて饒舌《しゃべ》った。「責任ではありません。人間は死ぬものです。死なない方が不思議と言えます。僕自身明日死ぬかも知れない。死ぬとは思いませんが、人間の生命は無常です。今度それを本当に知りました。人間に生れたことが腹が立つ程《ほど》知りました」

自分はそう言って見えない敵を睨《にら》みつけた。死神が何処《どこ》かに居るような気がしてしゃべった。

「死神が人間を殺す程、わけないことはない。このことは死神の自慢《じまん》にはならない。僕は生きて帰って来ました。自分は生きているだけの資格があって生きているのではないのです。貴《とうと》いものが死ぬのです。死ぬことがあるのです」僕はもう泣きかけたが、何かに怒《おこ》っているようにわけのわからないことを饒舌りつづけた。「そして殺されて下らないものの方が生き残る。生きていて仕方がない人間が生きのこる。しかし僕はなにも不服が言えないような罪深いと言いたい自分が生きのこったのです。しかし僕は罪という言葉を認めているわけではない。しかし死んだものに比較《ひかく》して僕はそう思う。しかし生き残った以上、僕は何かします」

四五人、拍手してくれた。自分は頭がくらくらとした。

「死にたいと思わないことはない。しかし死んだものが慰《なぐさ》められますか、慰められはしないのです。慰める必要がない。死神は人間を殺すことが出来る。だがその時人間以上の神になる。人間から慰められるにはあまりに高い。あまりに清浄《せいじょう》な、あまりに清浄な神になります。死神よ、お前は人間を殺すことが出来るが、人間を神にする手先にすぎないのだぞ、僕はそう言いたい。しかしです。生き残った人間は、そのことを知りすぎながら、死んだものが可哀《かわい》そうで仕方がない。生意気な話ですが事実です。しかし私はどうすることも出来ない。出来るのは、生きている人間の為《ため》に働くことだけです。憐《あわ》れな人間がこの世には多いのです。否《いな》、死ぬまでの人間は残らず哀《あわ》れな人間です。一人残らずあわれな人間です。僕は西洋へゆきました。

何処でもあわれな人間が一杯《いっぱい》です。一人の哲人《てつじん》が居るか、居ないかでしょう」

いればここに居るのだ。自分はそう言いたいような自棄《すて》ばちになっていた。

「しかし人間は自分の憐れさを知らない。それでいいのです。私も知らなかった。我等は自分が死に近づきつつあることを忘れている。それが健全な証拠《しょうこ》です。しかしあわれでないとは言われません。私は西洋へ行っていろいろのものを見ましたが、別に何も得なかった。何処にも人間が居る。日本人じゃない人間が居ることを見て来た位のものです。しかし香港《ホンコン》につく前一つの電報は私に宙がえりを打たしました。そうです、宙がえりです。私は生れかえった。桜《さくら》が一杯さいている春の世界が、一変して厳寒の世界になった。それ以上の変化をうけました。これこそ私を生死の境まで逐《お》いやったものです。私は其処《そこ》から何か生れるということを期待しない。私はまだその事実にたいして消すことの出来ない怒《いか》りをもっています。しかしそれは人間にたいしてではない。野々村さんも、最愛の妹を失われて実に参っていられる。お母さんはなおひどく参っていられる。僕は自分のことは言わない。ただ私はこの残酷極《ざんこくきわ》まる運命にどう復《ふく》讐《しゅう》してやろうかと考えている。殺されたものが神になる。この位立派な復讐はない。

私にはそんな立派な復讐は出来ませんが、参って、参って、参ってもはいずり上り、夏子さんの愛と霊《れい》に報《むく》いたい。しかも、それで夏子さんを慰めることが出来ないかと思うと、その時も喜んでもらうことが出来ないと思うと、僕は残念です」

僕はそう言うと同時にぶつっと話を切っておじぎして坐《すわ》った。皆手をたたいてくれた。僕はふいに立ち上って席をはずした。そして夏子の室にとび込《こ》んで夏子のテーブルで泣けるだけ泣いた。

それから何分たったか知らない。僕はやっと冷静を保つことが出来て座に戻《もど》った。皆は黙って僕を迎《むか》えてくれた。しかし一座の空気は何とかして僕に慰めを贈《おく》りたがっていることが感じられた。僕は友人達の厚意に感謝して自分の座についた。

三六

これは二十一年前の話である。

しかし自分は今でも忘れることは出来ない。そして人間というものは無常なものであり、憐《あわ》れなものであると思うのである。

死んだものは生きている者にも大なる力を持ち得るものだが、生きているものは死んだ者に対してあまりに無力なのを残念に思う。

今でも夏子の死があまりに気の毒に思えて仕方がないのである。しかし死せるものは生ける者の助けを要するには、あまりに無心で、神の如《ごと》きものでありすぎるという信念が、自分にとってせめてもの慰めになるのである。

それより他《ほか》仕方がないのではないか。

注解

（ページ）

三四　＊ドラ　盆《ぼん》の形をした銅製の打楽器。ヒモでつるして、木の桴《ばち》でたたくもの。船の出航のさいの合図などにも使う。

五八　＊帝大　帝国大学の略称。旧制の官立大学で、東京、京都、東北、九州、北海道、大阪、名古屋、朝鮮《ちょうせん》、台湾《たいわん》の九帝国大学があった。

六〇　＊耶蘇《ヤソ》　キリスト教の開祖、キリストのこと。

七八　＊ルーブル　Louvre（仏）　パリのセーヌ河右岸にあるフランス最大の国立美術館。旧ルーブル宮殿《きゅうでん》を、一七九三年に増改築して開館。ヨーロッパ美術史の全体がうかがえるほどの規模。

八〇　＊釈迦《しゃか》に説法《せっぽう》　何もかも知りつくしている者に、なお教えること。教える必要のないことのたとえ。

八三　＊ナポリ　ローマの南東約二百キロ、ナポリ湾《わん》の北岸にある海港・商工業都市で、ローマ、ミラノに次ぐイタリア第三の都市。紀元前からの古都で、遺跡《いせき》が多く、美術館にはポンペイの遺跡から発掘《はっくつ》された多くの貴重な美術品がある。

＊ポンペーの発掘　ポンペイ Pompeii はナポリ湾にのぞむカンパニアにあった古代都市

で、紀元前六、七世紀ころ繁栄《はんえい》した。六三年、七九年のヴェスヴィオ火山の大噴火《ふんか》のさい、埋没《まいぼつ》した。十八世紀から発掘され、重要な史跡となった。
*セザンヌ　Paul Cézanne（1839—1906）フランスの画家。後期印象派の代表的な画家で、〈近代絵画の父〉と呼ばれる。

九二
*ゴオホ　Vincent van Gogh（1853—90）オランダ後期印象派の代表的画家。強烈《きょうれつ》な色彩《しきさい》と情熱的な筆致《ひっち》による多くの傑作《けっさく》をのこした。
*ルネサンス　Renaissance　文芸復興。十四—十六世紀へかけてイタリアに興《おこ》り、次いでヨーロッパ全体におよんだ芸術・文化の革新運動で、ギリシア、ローマの古典文化の復興を目ざし、個人の解放と自然人の発見を目標にした。この運動からミケランジェロ、ラファエロ、ダ・ヴィンチら多くの芸術家が生まれ、やがて芸術、政治、宗教にまで強い影響《えいきょう》を与え、近代文明の基礎《きそ》となった。
*夢殿《ゆめどの》の観音《かんのん》　日本最美の木造建築物として名高い奈良《なら》・法隆寺東院の金堂《こんどう》（本堂）にまつられている救世《ぐぜ》観世音菩薩《ぼさつ》の木像をいう。聖徳太子《しょうとくたいし》の等身像とされている。
*百済観音《くだらかんのん》　同じ法隆寺金堂にある木彫彩色《もくちょうさいしき》の観世音菩薩立像。夢殿の観音と共に飛鳥《あすか》時代の仏像を代表する傑出《けっしゅつ》した作品。
*ミロのビィナス　Vénus de Milo　古代ギリシアの大理石像。一八二〇年にギリシア東南海上のミロ（メロス）島で発見され、ルーブル博物館にある。右手が二の腕《うで》から欠け落ちていて、紀元前一—二世紀ころの作と見られる。

一〇一

*レオナルド・ダ・ヴィンチ Leonardo da Vinci (1452―1519) イタリア・ルネッサンス期の代表的な画家・建築家・彫刻家。「モナ・リザ」「最後の晩餐《ばんさん》」などがある。

*ミケルアンゼロ Michelangelo Buonarroti (1475―1564) ダ・ヴィンチと共にイタリア・ルネッサンス期最大の画家・建築家・彫刻家。「ダビデ」「最後の審判《しんぱん》」などがある。

*ラファエル Raffaello Santi (1483―1520) イタリアの画家・建築家。ルネッサンスの古典的様式の完成者とされる。数多くの聖母画、バチカン宮殿の壁画などがとくに名高い。

*チチアン Tiziano Vecellio (1490?―1576) イタリア・ルネッサンス期の画家。宗教画・肖像画にすぐれていた。「聖母昇天《しょうてん》」などが名高い。

*レンブラント Harmensz van Rijn Rembrandt (1606―69) オランダの画家。「夜警」などがある。

*フラ・アンゼリコ Fra Angelico (1387―1455) イタリアの画家。ルネッサンス初期の修道院僧で、宗教画にすぐれていた。フィレンツェの修道院の壁画「聖告」など。

*ジョットー Giotto di Bondone (1266?―1337) イタリアの画家。ルネッサンス芸術の先駆《せんく》者《しゃ》。アッシジのバルディ家礼拝堂の壁画「聖フランシスコ伝」が名高い。

*李龍眠《りりゅうみん》 中国・北宋《ほくそう》時代の画家・李公麟《りこうりん》(1049?―1106)。山水、仏像、人物、馬の絵にすぐれていた。

*梁楷《りょうかい》 中国・南宋《なんそう》時代の画家、生没年未詳《せいぼつねんみしょう》。宗教、山水、人物画にすぐれていた。とく

に鬼神《きしん》の絵に巧《たく》みで、「寒山拾得図《かんざんじっとくず》」「出山釈迦図」などが名高い。日本の水墨画《すいぼくが》に大きな影響を与《あた》えた。

＊牧谿《もっけい》　中国・南宋末期の画僧。蜀《しょく》の人。元代の初め（十三世紀後半）に没。山水、人物はじめ、猿《さる》、鶴《つる》、竜、虎《とら》など動物、木や石などの水墨画にすぐれ、梁楷とならび称され、ともに日本に強い影響を与えた。

＊空海《くうかい》　（774―835）平安時代初期の学僧《がくそう》。真言宗の開祖。おくり名が弘法大師《こうぼうだいし》。詩文に長じ、書をもよくしてわが国書の〈三聖〉の一人といわれる。高野山《こうやさん》に金剛峯寺《こんごうぶじ》を創建した。

＊鳥羽僧正《とばそうじょう》　（1053―1140）平安時代後期の画僧。大和絵《やまとえ》にすぐれ、特に戯画に卓抜《たくばつ》した才能を示した。「鳥獣戯画《ちょうじゅうぎが》」が名高い。

＊光長《みつなが》　土佐光長のこと。生没年未詳。土佐派の大和絵画家中、光信《みつのぶ》、光起《みつおき》と共に三筆《さんぴつ》といわれた。「年中行事絵巻」六十巻が名高い。

＊信実《のぶざね》　藤原信実（1176―1265?）のこと。鎌倉時代初期の画家・歌人で、大和絵の肖像画にすぐれていた。「三十六歌仙《かせん》絵巻」などがある。

＊雪舟《せっしゅう》　（1420―1506）室町《むろまち》時代後期の画僧。明《みん》（中国）に渡って学び、山水画に多くの傑作をのこした。「山水長巻」などがある。

一〇二　＊異邦人《いほうじん》　外国人のこと。

一〇三　＊ベスビオ　Vesuvius ナポリ市東方約一六〇キロのところにある活火山。標高一二八一メートル。

一〇六　＊ノートルダム　Notre=Dame（仏）「われらの貴婦人」の意で、聖母マリアを祝福するために建てられたフランス・カトリックの聖堂。パリのほか、ランス、アミアン、シャルトルなど各地にあるが、ここではパリのノートルダムのこと。一一六三年に起工され、約二百年をついやして完成されたゴシック建築の代表的建築物。

一〇九　＊天機もらすべからず　天の重大な秘密をもらすことは出来ない。

＊こけん　漢字で「沽券」と書く。人のねうち。体面。品格。

一一二　＊最後の晩餐《ばんさん》　イエス・キリストが自分の死期の迫ったことを悟《さと》って、別れのため十二使徒とともにとった最後の晩餐のこと。ダ・ヴィンチのミラノのサンタ・マリア修道院食堂にある名高い壁画（1495―98）をはじめ、その情景を描いた絵画や壁画が数多くのこっている。

一二二　＊谷中《やなか》　東京都の上野公園の北西にある東京の代表的な墓地の一つ。

一二四　＊スペイン風邪　一九一八年（大正七年）スペインに発生し、全世界にひろがった死亡率のきわめて高い悪質な流行性感冒《かんぼう》。

一二七　＊第六感　視・聴《ちょう》・嗅《きゅう》・味・触《しょく》の五つの感覚の他《ほか》にもう一つあるとされる。インスピレーション。

小田切進

武者小路実篤の文学

「お目出たき人」と「友情」

小田切 進

武者小路実篤は明治四十三年(一九一〇)の『白樺《しらかば》』創刊の中心となり、大正の初めにかけて『お目出たき人』『世間知らず』『わしも知らない』などを書いて、それまでの倫理《りんり》と小説美学に反逆する作品として注目されてから、昭和五十一年(一九七六)、九十歳《さい》で没するまで、戯曲《ぎきょく》『その妹』、長篇《ちょうへん》『幸福者《こうふくもの》』、中篇『友情』、狂言『人間万歳《ばんざい》』、戯曲『愛慾《あいよく》』、長篇『真理《しんり》先生』『一人の男』など数々の傑出《けっしゅつ》した作品をのこした。大正七年の〈新しき村〉の提唱、大正十二年にまでわたる『白樺』での実篤のしごとは、わが国の文学・芸術・思想の歴史に、はかり知れないほど大きな影響をあたえた。人間の理想郷をつくろうとして興《おこ》した〈新しき村〉は、晩年までおよそ六十年間にわたって情熱をかたむけ、また画家としても独自な作風をひらいて長く活躍をつづけ、スケールの大きなしごとをつみ重ねてきた。その著書は五百冊をこえ、武者小路《むしゃのこうじ》侃三郎《かんざぶろう》氏の追悼文《ついとうぶん》によると書画は五万四千七百五十点以上という。

ところでその数多い作品の中でも、『友情』と『愛と死』は長いあいだ広く読まれ、今も若い人たちに愛読されている。日本の近代文学をつうじて、夏目漱石《なつめそうせき》の『坊っちゃん』、川端康成《かわばたやすなり》の『伊豆《いず》の踊子《おどりこ》』と共に最も多くの読者をもつ作品になっている。

＊

武者小路実篤は明治十八年（一八八五）五月十二日に、東京府麹町《こうじまち》区元園町（現、千代田区一番町）に生まれた。父の武者小路実世《さねよ》は子爵《ししゃく》、母も公卿《くげ》の出身で、実篤は八人兄弟の末子だったが、上の五人は幼児のときに亡《な》くなり、一人が死産だったから、姉一人兄一人の三人兄弟だった。

父の実世は明治四年に岩倉具視《ともみ》の遣欧《けんおう》使節団の一行に加わってドイツに赴《おもむ》き、べルリンに留《とど》まって三年間法律を学んだ。帰国後、日本鉄道会社の創立に参画し、上野—青森間の鉄道敷設《ふせつ》のために尽すなど、将来を期待されたが、実篤二歳の明治二十年、肺結核《はいけっかく》のため死去。死の前に「この子をよく教育してくれる人があったら、世界にひとりという人間になるだろう」と語っていたという。父のことを全く憶《おぼ》えていないという実篤だったが、この言葉をきいて、それから強い影響を受けた、ともいう。自伝小説『或る男』に、実篤は「癇癪《かんしゃく》持ちのところは父から受けついだ。そして辛抱《しんぼう》強い性格は母から受けついだ。この二つの矛盾《むじゅん》をかたちづくったことは、彼には仕合わせに思えた。また仕事をくわだてる性質は父から受け、それを執念《しゅうねん》深くもちこたえる力は母から受けている」と書いている。

明治二十四年、学習院の初等科に入学した。成績は中の上くらいだったが、兄がいつも首席だったため比較《ひかく》されることが多かった、という。朗読と数学は得意だったが、唱歌、習字、図画、作文、体操が苦手だった。中等科六年の明治三十五年に、もともとは二年上級だった志賀直哉《しがなおや》が落ちてきて、隣《とな》りのクラスになった。二人は下級生との対立事件をつうじて口をきくようになり、急速に親しくなった。翌年高等科へ進んだ。この頃《ころ》から、母方の叔父《おじ》の勘解由《かでの》小路《こうじ》資承《すけこと》にすすめられて『聖書』

を読み、トルストイ、仏典を読んだ。とくにドイツ語訳で読んだトルストイに強くひかれ、その博愛主義・禁欲主義・社会救済の思想から影響《えいきょう》を受け、トルストイ主義を理想として掲《かか》げ、〈世間とたたかう〉ことを考えた。明治三十九年、高等科をビリから四番の成績で卒業し、東京帝国大学哲学科《てつがくか》社会学専修に進んだ。この年あたりから、小説・詩・戯曲・対話・感想など形式にこだわらずに創作をこころみ、翌四十年、志賀、木下利玄《きのしたりげん》、正親町公和《おおぎまちきんかず》らと勉強会〈十四日会〉をつくって毎月、互《たが》いに創作を批評しあうようになった。この年、大学を中退した。

明治四十一年、二十三歳の年に、詩・小説・感想をあつめた『荒野《こうや》』を自費出版し、みずから〈最初の小説らしい小説〉と呼ぶ短篇『芳子』を執筆《しっぴつ》した。この頃からホイットマンやメーテルリンクを読み、その影響によってトルストイ主義から脱《だっ》却《きゃく》し、トルストイが退けた〈個我の欲求〉を大胆《だいたん》に肯定《こうてい》する考えをもつようになった。

『白樺』の創刊は前記十四日会のメンバーに、後輩《こうはい》の里見弴《さとみとん》、児島喜久雄《こじまきくお》、柳宗悦《やなぎむねよし》、園池公致《そのいけきんゆき》、それに有島武郎《ありしまたけお》、生馬《いくま》の兄弟ら学習院関係者によって実現されたもので、実篤は創刊号に尊敬する漱石の『それから』の批評を掲げ、以後毎号にわたって評論・感想・小説などを発表し、グループの文字どおりの中心人物として活躍《かつやく》した。実篤の名が文壇《ぶんだん》から注目されたのは、翌四十四年に出版された中篇《ちゅうへん》『お目出たき人』である。次いで『芳子』『世間知らず』、一幕もの『桃色の室《へや》』、脚本《きゃくほん》『二つの心』などを矢つぎ早に発表し、その徹底《てってい》した自己中心主義、歯に衣《きぬ》をきせぬ天衣無縫《てんいむほう》のスタイルによって、自然主義の低迷期《ていめいき》に入っていた文壇に清新な気風を吹《ふ》きこんだのだった。

これらの初期実篤を代表する作品は『お目出たき人』と『世間知らず』である。とくに前者はのちの傑作『友情』と『愛と死』によく似た自伝的な恋愛《れんあい》小説である。似ているというよりも、『お目出たき人』があって『友情』が書かれ、『友情』があって『愛と死』が生まれた。明治四十四年（一九一一）、大正八年（一九一九）、昭和十四年（一九三九）発表の右の三作は、三作三様の構成で、それぞれ特色をもっているが、三作とも〈自然の意志による愛〉〈個性と個性の合奏〉〈恋愛こそ人生の喜びであり、詩であり、美である〉という主題を追って一貫《いっかん》していて、三作共通するところが大きい。三作は三作とも、それぞれの時期の実篤の最高傑作だった、と言ってもいいだろう。そして更《さら》に『お目出たき人』について言えば、この中篇小説はその後の武者小路実篤の全作品の原型をなすものになっているのである。そうした画期的な作品だけに、ここでは『お目出たき人』についてやや立ち入って見ておきたい。

＊

『お目出たき人』の主人公の〈自分〉は、七年前の十九歳の年に、恋していた月子さんが郷里に帰ってしまってから、若い美しい女と話したことさえなく、「女に飢《う》えている」という。冒頭《ぼうとう》から「女に飢えている」「誠《まこと》に自分は女に飢えている」「若い女に飢えている」……と「飢え」のリフレインで始まっている。

その主人公が自分の家の近くに住んでいる鶴《つる》という可憐《かれん》な少女を思うようになり、鶴と夫婦《ふうふ》になりたく思うようになり、母を承知させ、次いで父の許しをも得て、人を間にたて鶴の家に求婚してもらった。第一回目の申込みは、鶴が「何しろまだ若いので」と言って断わられた。第二回目も、そして第三回目も断わられた。しかし断わられても、断わられても、主人公の鶴への気持は募《つの》るばかりで、一日として鶴のことを考えないではいられない。明けても暮れても、鶴、鶴、鶴を思っている。

「自分には鶴と一緒《いっしょ》になって始めて全人間《ホールのにんげん》たることが出来るように」思われた、という。

「自分」は鶴に恋《こい》しだすと、「今迄《いままで》になく道徳的にも夫婦にならなければならないと思う」ようになる。「自分は今迄の恋に於《お》て自分は結婚《けっこん》する資格ないものと思っていた。しかるに今度の恋は自分に彼女《かのじょ》と結婚せよと命じている。／自分はこの事実の裏に自然の命令、自然の深い神秘な黙示《もくじ》があるのではないかと思う。この黙示は／『汝《なんじ》、彼女と結婚せよ、汝の仕事は彼女によって最大の助手を得ん。そうして汝等《ら》の子孫には自然の寵児《ちょうじ》が生まれるであろう』と云《い》うのだ」とある。

この「自然の命令、自然の深い神秘な黙示」は、漱石の『それから』に示された思想そのものである。実篤は前に述べたとおり、『白樺』創刊号に、『それから』を論じた力作の批評を発表した。『それから』の主人公代助が〈自然の命〉にしたがって人妻の三千代を愛し、その仕返しとして社会から葬《ほうむ》り去られたのをとりあげ、主人公を支持しながら、同時に〈自然〉と〈社会〉の調和がなければならないことを説き、その調和は〈自然〉の中へ〈社会〉をかかえこむような形であってほしいと唱えたものだった。『お目出たき人』はまぎれもなく『それから』の影響によって生まれた作品である。『それから』がなければ生まれ得なかった作品だったろう。漱石のほかに、『お目出たき人』の作者は作品中にも記しているように、その頃、またメーテルリンクの影響を強く受けていた。主人公は「鶴とは一年近く逢《あ》わないのだ。自分は鶴と話したことはないのだ。自分はただ鶴の心と自分の心とはもう三、四年前から他人ではないと云うことを信じている。しかし勝手に信じているのだ」とある。他人が自分を認めた時は、もうその人は隔絶《かくぜつ》した他者ではない。〈互いに互いの個性を認めあう〉〈個性と個性の合奏〉というメーテルリンクの思想を、実篤がいつ、どのように学んだかは、『白樺』明治四十五年一月号に載《の》った「『自己の為《ため》』及《およ》び其他《そのた》」や、「六号雑記」に何度も出てきている。実篤は前者に、五、六年前のことメーテルリンクの右のことばが「天啓《てんけい》のように響《ひび》きました」と書いている。

小説は最後に鶴が金持ちの長男で、ことし工学士になった男と結婚した、と知らされ、主人公が声を挙《あ》げて泣くところで終っている。結局主人公は一度も鶴と話したこともなく、自分の気持を直接鶴に打ちあけることすらなく終るのだから、全くのひとり相撲《ずもう》にすぎなかったわけだ。主人公は「男女の真の恋は種々の形をとるも永遠不滅《ふめつ》のものであることを事実によって証明して見せる」と言うが、この小説に描《えが》かれたものは「男女の真の恋」ではなく、片思いでしかなかったのだ。

そのために小説もおのずとひとり相撲に終ってしまい、成功しているとは言い難《がた》いが、主人公の鶴を思う一途《いちず》な、ひたむきな気持がまっすぐに表現され、読む者の胸に強くひびいてくるものがある。一人称の告白体で、自分の心を打ち明けたいという強い気持を示した単純率直《そっちょく》な文体も、今なお新鮮《しんせん》さを失っていない。冒頭の「女に飢えている」のリフレインはいささかドギツイが、これも〈性〉というものを暗いジメジメしたものとしか扱《あつか》わなかった自然主義へのアンチ・テーゼだったのか。人間の個性を重んじ、自分自身の幸福や快楽を大切にする個人主義の思想・道徳を、自信をもって強く示そうと考えていた実篤は、むしろこのような形で大胆不敵な挑戦《ちょうせん》をしたのではなかったか。

実篤はこの小説は大部分がつくりものだと断わっているが、実際には自伝的要素が濃《こ》い。日記『彼《か》れの青年時代』(大正十二)の中には、鶴が三輪田《みわた》女学校の生徒日《ひ》吉《よし》たかであることが記されている。求婚の使者となった人が学習院の先生で、心理学者だった高島平三郎であることも出ている。

『友情』にも主人公野島の杉子《すぎこ》にたいする一途な、ひたむきな恋が描かれている。

大宮の友情にもかかわらず、野島の愛は杉子の受けいれるところとならず、杉子はパリに去った大宮のあとを追って旅立ってゆく。
『友情』も失恋《しつれん》小説という点では『お目出たき人』と全く同じだが、『お目出たき人』がもっぱら純粋な恋愛感情を描いたのにたいして、『友情』には何故《なぜ》熱烈《ねつれつ》な恋愛が破れねばならなかったかが客観的に写しだされている。共通点が多いが、小説としては『友情』の方がはるかにすぐれている。『友情』の最後のところで、作者は恋人《こいびと》を奪《うば》った友人大宮のエゴを認め、同時にそれに耐《た》え、打ちかとうとする野島の勇気にたいしても真実を認めている。『友情』は白樺派の理想主義的な恋愛と友情を描いた代表作であるばかりでなく、たえず人間としての成長・発展を念願としている武者小路の一貫した志向を最もよく示した作品だった。

（昭和六十二年四月、文芸評論家）

解説

小田切進

『愛と死』は昭和十四年（一九三九）七月、雑誌「日本評論」に発表され、同年九月、青年書房《しょぼう》から出版された中篇《ちゅうへん》小説である。

この作品はすでに前年の昭和十三年、石川達三の『生きている兵隊』発表禁止事件前後から厳しい文芸統制が行なわれ、戦争文学・国策文学が氾濫《はんらん》し、同年成立の国家総動員法が間もなく全面発動（昭和一四・七）される時期に、作者は「日本評論」編集部から「二十年前の『友情』のような傑作《けっさく》の現代版を書いてほしい」と依《い》頼《らい》されて、同年五月から六月へかけて伊豆長岡《いずながおか》の旅館・共栄館に、原稿《げんこう》用紙と万年筆だけを持って籠《こも》り、四百字詰百五十六枚を書き上げ、一括《いっかつ》発表したのだという（中川孝《たかし》「武者小路実篤の人と作品」）。

この『愛と死』も『友情』と同じ青春を描《えが》いた小説である。雑誌に発表された当時、中学三年生だったわたしは、その前に『友情』を読んで深い感銘《かんめい》を受けていたので、すぐ、むさぼるようにこの新しい中篇を読んだ。ちょうどその頃《ころ》、恋愛《れんあい》というものに特別な憧《あこが》れを抱《いだ》いていた時期だったから、『愛と死』の村岡《むらおか》と夏子の熱い恋愛にとりわけ強く胸を打たれ、人が人を愛し、人と人とが愛しあうということがどういうことか、そして愛しあう者が、愛する一方の者を失うことがどんなに悲しく痛ましいことか、などを教えられ、愛とはどういうものかをおぼろげに知らされた。いや、おぼろげというより、この小説を通じて初めてはっきり教えられた。

しかし『友情』が恋愛と友情とを主題としていたのにたいして、『愛と死』では題名にも示されているように、恋愛と死との対決がとりあげられている。『お目出たき人』と『友情』では主人公の恋愛が全くの片思いにすぎなかったのが、こんどは村岡の愛を夏子が受け入れ、双方《そうほう》から愛が完成されようとする。愛はまさに成就《じょうじゅ》しようとする一歩手前で、夏子の死によって打ちくだかれる。打ちのめされ、起《た》ちあがることも出来ない村岡の悲しみによって、愛の大きなよろこびが鮮《あざ》やかに写しだされている。子供だったわたしは、作者が夏子を死なせてしまうのは、戦争中だから已《や》むを得ないのだろう、と悲しく、残念だったが、諦《あきら》めるほかない、とその時思ったことを、今もよくおぼえている。

改めて『愛と死』を読みかえしてみると、やはりこの小説は愛というもののすばらしさを見事に描いていて、初めて読んだ時以上に感服させられた。発表当時、わたしは全く知らなかったが、小説執筆《しっぴつ》直前の昭和十四年四月、作者の大正四年の作品『その妹』が〈社会の安寧秩序《あんねいちつじょ》を乱す〉恐れがあるという理由で、警視庁検閲《けんえつ》課から一部削除《さくじょ》処分にあう出来事が起っていた、というのである。戦局が膠着《こうちゃく》し、しだいに犠牲者《ぎせいしゃ》が多くなり、毎日のように英霊《えいれい》の遺骨を迎える行列が目だつようになった時期に、作者は主人公の村岡に「若いいい人間が死んでゆくのはたまらない」と言わせ、嘆《なげ》かせている。「あまりに残酷《ざんこく》なことだ」と言わせ、泣かせている。実篤は多くの若い生命が奪《うば》われていく戦争に、たまらない気持で、「若いいい人間が死んでいくのはたまらない」と書いたのである。武者小路実篤はこのような、いわば逆手を使って、白樺《しらかば》的な、理想《りそう》主義的な思想をつらぬき、守り通そうとしたのである。『愛と死』は文学を圧殺しようとする軍国主義の暴力にたいして、作者が精《せい》一杯《いっぱい》のレジスタンスを行なった作品だったのである。

『愛と死』や『友情』の原型になっている傑作『お目出たき人』（明治四四）いらい、

作者は〈自然の意志による愛〉〈個性と個性の合奏〉〈恋愛こそ人生の喜びであり、詩であり、花であり、美である〉というイデーを、この暗い、けわしい時代にまで一貫して追求しつづけていたのである。この三つの作品は武者小路文学の最も高い峰《みね》をなす傑作で、三作三様に異なる構成ながら、三作全く同じ〈愛の在りかた〉を正面からとりあげた力篇ばかりになった。

　中川孝氏が『愛と死』を書き上げた直後に、作者から直接聞いた言葉として「そのころ、お嬢さんが次々と病気して、熱を出され、そのことが歩きながらふっと心に浮かんでムラムラと腹が立って、たまらぬ気持ちになった」のが、「途中から急に夏子を死なせる暗示になった」と語っていた、と紹介《しょうかい》している（前掲文《ぜんけいぶん》）。また夏子が死ぬことに決まってからは「書きながらずいぶん泣いた」とも洩《も》らしていたという。そして「夏子の宙返りが出るまでは、一種の論文か感想みたいな格好《かっこう》だったが、宙返りがひとたび出てからは油がのって、きゅうに小説に入りこむことができた」とも語った、という。中川氏も述べているように、『愛と死』は夏子の宙返りするところ辺りから、小説が生き生きしたものになり、活気を呈《てい》しはじめ、すこぶる精彩《せいさい》をはなつに至っている。

なお最近のこと、長いあいだ所在の解《わか》らなかった『愛と死』の原稿百五十六枚を、庄司和晃《しょうじかずてる》氏が所蔵していることが明らかになり、昭和六十二年四、五月、調布市の実篤記念館で開かれた特別展〈愛と死〉に初めて出品公開され、注目された。庄司氏は昭和三十年ころ、当時小田急線祖師《そし》ヶ谷《がや》大蔵《おおくら》駅前にあった小さな古書店で、殆《ほと》んどタダ同然でそれを購入《こうにゅう》したという。

それを見せてもらうと、原稿の最初の表題が「生者死者」となっており、あとから作者自身の手で「愛と死」に書き改められている。ずっと前からこの小説は、前記中川氏による作者の談話などがあったからと思われるが、執筆中に構想がかわり、途中で夏子を死なせるストーリーになった、と受けとられていたが、原稿の発見によって、最初から〈生者死者〉の主題で構想がねられていたものだった、ということが明らかになった。また夏子が死ぬ前後へくると、原稿用紙のインクのにじんでいる個所《かしょ》がところどころ出てくるのは、前掲文にあったとおり、作者が涙《なみだ》をこぼしながら小説を書いた跡《あと》と見られる。

しかしそうした作品の成立経過はともかく、『愛と死』は『友情』と共に日本近代・現代のすぐれた青春文学の代表的作品であり、昭和十年代の芸術的抵抗《ていこう》の秀作《しゅうさく》の一つに数えられるべき小説であること疑う余地がない。

(昭和六十三年二月、文芸評論家)

年譜

明治十八年（一八八五年）五月十二日、東京府麴町区元園町（現、千代田区一番町）に、父子爵《ししゃく》武者小路実世《さねよ》、母秋子《なるこ》の八番目の末子として生まれる。上の五人は夭逝《ようせい》したため、姉伊嘉子と兄公共の三人兄弟だった。

明治二十年（一八八七年）二歳　十月、父三十六歳で死去。

明治二十四年（一八九一年）六歳　学習院初等科に入学、木下利玄《としはる》と同級。成績はいつも十番以内であったが、常に首席の兄に比《くら》べ、母からは怠《なま》け者として残念がられる。得意な学科は、数学、朗読で、不得意なのは、習字、作文、体操、唱歌、図画であった。

明治三十年（一八九七年）十二歳　学習院中等科入学。

明治三十二年（一八九九年）十四歳　十二月、姉伊嘉子死去。姉を愛すること深く、後に短編『死』にこのことを書く。この頃より近視眼になる。

明治三十三年（一九〇〇年）十五歳　四月、後に短編『初恋』の主人公となるお貞《てい》さん姉妹と知る。

明治三十五年（一九〇二年）十七歳　中等科六年、志賀直哉《なおや》と同級になり、親しく交際する。この頃より、禅学・王陽明・孫子・呉子、武術の本を愛読し、伝記類、小説類に親しみ、文章を書きはじめる。

明治三十六年（一九〇三年）十八歳　お貞さんが学校を卒業して故郷へ帰る。この失恋《しつれん》の痛手は文学を一生の仕事とする因ともなった。母の弟勘解由小路《かでのこうじ》資承《すけこと》の影響《えいきょう》をうけ、トルストイを読みはじめる。

明治三十九年（一九〇六年）二十一歳　九月、東京帝国大学文科社会科に入学。

明治四十年（一九〇七年）二十二歳　大学中退。志賀直哉、木下利玄、正親町公和《おおぎまちきんかず》らと共に、文学研究会「十四日会」を開く。

明治四十一年（一九〇八年）二十三歳　四月、『荒野』を自費出版。七月、回覧雑誌「望野」を十四日会の四人で出す。これが四十三年四月の「白樺《しらかば》」発刊につながる。九月、兄の長女芳子、生後十カ月で病死。短編『芳子』を執筆、自ら処女作とする。

明治四十二年（一九〇九年）二十四歳　十月、三幕物『或《あ》る家庭』を執筆、脚本《きゃくほん》の処女作。

明治四十三年（一九一〇年）二十五歳　二月、『お目出たき人』脱稿。四月、志賀直哉、里見弴《とん》、木下利玄《りげん》、有島武郎《たけお》、有島生馬《いくま》らと同人雑誌「白樺」を創刊。この年、長与善郎《ながよよしろう》を知る。

明治四十四年（一九一一年）二十六歳　五月、札幌に有島武郎を訪ねて一カ月滞在。その間にお貞さんを小樽《おたる》の嫁ぎ先に訪ねる。この年、岸田劉生《りゅうせい》と知る。

『お目出たき人』短編集（二月、洛陽堂刊）

明治四十五年・大正元年（一九一二年）二十七歳　十一月、戯曲『二つの心』を「白樺」に発表。竹尾房子と結婚。この年、千家元麿《せんけもとまろ》と知る。

『世間知らず』書下《かきおろ》し（十一月、洛陽堂刊）

大正二年（一九一三年）二十八歳　四月、戯曲『或る日の一休』を「白樺」に発表。

『生長』感想集（十二月、洛陽堂刊）

『心と心』戯曲対話集（十二月、洛陽堂刊）

大正三年（一九一四年）二十九歳　一月、戯曲『わしも知らない』を「中央公論」に発表。四月、『第二の母』（後に『初恋』と改題）を「白樺」に発表。八月、『死』を夏目漱石にすすめられて「朝日新聞」に発表。生家を出て、近くの下二番町借家に独立する。

大正四年（一九一五年）三十歳　一月、神奈川県藤沢町鵠沼《くげぬま》に移転。『小さき世界』を「新小説」に発表。三月、戯曲『その妹』を「白樺」に発表。六月、『わしも知らない』が文芸座により帝劇で上演される。九月、千駄ヶ谷に転居する。

『彼が三十の時』（二月、洛陽堂刊）

『向日葵《ひまわり》』戯曲・短編集（九月、洛陽堂刊）

大正五年（一九一六年）三十一歳　三月より、『或る青年の夢』を「白樺」に連載。夏、小石川に移り、十二月、千葉県我孫子《あびこ》町に移転する。十月、『新しき家』を「新潮」に発表。

『その妹』代表的名作選集（十二月、新潮社刊）

大正六年（一九一七年）三十二歳　一月、戯曲『日本武尊《やまとたけるのみこと》』を「中央公論」に発表。七月、童話劇『花咲爺』『かちかち山』を「白樺」に発表。

『新しき家』新進作家叢書（五月、新潮社刊）

『かちかち山と花咲爺』童話劇集（十月、阿蘭陀書房刊）

大正七年（一九一八年）三十三歳　一月、『野島先

生の夢』を「中央公論」に発表。三月、『新しき村についての対話』を「大阪毎日新聞」に発表。続編を「白樺」に発表。七月、機関誌「新しき村」を創刊。十一月、宮崎県児湯《こゆ》郡木城《きじょう》村字高城に、同志十五人と共に新しき村を建設する。

『新しき村の生活』評論集（八月、新潮社刊）

『或る脚本家』（十二月、後に『二人の彼』と改題、玄文社刊）

大正八年（一九一九年）三十四歳　一月、『自分の師』（後に『幸福者』と改題）を「白樺」に連載。四月、「白樺」十周年記念のため上京。八月、『耶《ヤ》蘇《ソ》』を「新しき村」に連載。十月、『友情』を「大阪毎日新聞」に連載。この年、新しき村に家が建てられ移り住む。

『幸福者』（九月、叢文閣刊）

大正九年（一九二〇年）三十五歳　三月、志賀直哉が新しき村を訪れる。日向《ひゅうが》の新しき村の近く川南村に、第二の新しき村をつくる。

『友情』（四月、以文社刊）

大正十年（一九二一年）三十六歳　一月、『出鱈目《でたらめ》』を「白樺」に連載（翌年改題『第三の隠者の運命』）。四月、月刊「生長する星の群」を創刊し、『ユダの弁解』を発表。七月、『或る男』を「改造」に連載。

大正十一年（一九二二年）三十七歳　九月、狂言『人間万歳』を「中央公論」、十月、戯曲『父と娘』を「女性改造」に発表。房子と離婚し、飯河安子と結婚する。

大正十二年（一九二三年）三十八歳　九月、関東大震災により生家全焼、震災を機に「白樺」廃刊。十二月、長女新子誕生。

『武者小路実篤全集』全十二巻（五月、芸術社刊）

大正十三年（一九二四年）三十九歳　一月、戯曲『だるま』を「中央公論」に発表。四月、「白樺」の同人で雑誌「不二」を創刊。この頃より絵をかくようになる。

『桃源にて』（五月、新潮社刊）

大正十四年（一九二五年）四十歳　一、二月、『運命と碁《ご》をする男』を「不二」に発表。三月、次女妙子誕生。

大正十五年・昭和元年（一九二六年）四十一歳　一月、新しき村を離れ、奈良市水門町に転居し、新しき村の村外会員となる。戯曲『愛慾』を「改造」に

発表。七月、『愛慾』築地小劇場で初演。十二月、和歌山市に転居。

『愛慾』戯曲集（三月、改造社刊）

昭和二年（一九二七年）四十二歳　二月、東京府南葛飾郡小岩村小岩に転居。四月、月刊「大調和」を創刊。六月、月刊「第三木曜新聞」を創刊。この年、牛込八幡近くに再び引越す。

『若き人々』（一月、叢文閣刊）

『母と子』（十月、改造社刊）

昭和三年（一九二八年）四十三歳　一月、麹町区下二番町へ移転。二月、有楽町に新しき村の会場をつくり、展覧会、講演会、演劇などを行う。十一月、個人雑誌「独立人」を創刊。母死去。三女辰子誕生。

昭和六年（一九三一年）四十六歳　一月、月刊雑誌「星雲」を創刊。東京府北多摩郡砧《きぬた》村喜多見に転居。

昭和七年（一九三二年）四十七歳　十一月、長与善郎と雑誌「重光」を創刊。

『井原西鶴』（二月、春陽堂刊）

昭和八年（一九三三年）四十八歳　十一月、新しき村の誕生十五周年祭を赤坂三会堂で開催。

『論語私感』評論（十月、岩波書店刊）

昭和九年（一九三四年）四十九歳　二月、東京府吉祥寺に転居。八月、『西行と天竜の渡し場』、九月、『白隠』を「キング」に発表。

昭和十一年（一九三六年）五十一歳　四月、渡欧、旅先より旅行記、美術紀行を各雑誌・新聞に発表。米国を経て、十二月、帰国。

昭和十二年（一九三七年）五十二歳　六月、帝国芸術院会員となる。東京府三鷹村牟礼《むれ》に転居。

昭和十三年（一九三八年）五十三歳　二月、『墻保己一』を「少年倶楽部」に発表。

『人生論』岩波新書（十一月、岩波書店刊）

昭和十四年（一九三九年）五十四歳　七月、『愛と死』を「日本評論」に発表。九月、埼玉県入間《いるま》郡毛《も》呂山《ろやま》町に、東の新しき村を創設。

『愛と死』（九月、青年書房刊）

昭和十五年（一九四〇年）五十五歳　一月、『幸福な家族』を「婦人公論」に連載。三月、『愛と死』により菊池寛賞を受ける。三鷹村牟礼に家を購入。

『湖畔の画商』欧米紀行集（六月、甲鳥書林刊）

『幸福な家族』（十月、中央公論社刊）

昭和十六年（一九四一年）五十六歳　五月、新しき村の機関誌「馬鈴薯」を創刊。
『無車詩集』（三月、甲鳥書林刊）
『齢』（十一月、実業之日本社刊）
昭和十七年（一九四二年）五十七歳　五月、日本文学報国会劇文学部長に就任。十一月、大東亜文学者大会が東京で開催され、講演する。
昭和二十年（一九四五年）六十歳　六月、家族と共に秋田県稲住温泉に疎開。八月、終戦。九月、帰京。この年、長編『若き日の思ひ出』『愚者の夢』を執筆。
昭和二十一年（一九四六年）六十一歳　三月、勅選議員に任命される。七月、G項該当、公職追放。勅選議員および芸術院会員を辞任。
『若き日の思ひ出』（四月、座右宝刊行会刊）
『愚者の夢』（五月、河出書房刊）
昭和二十三年（一九四八年）六十三歳　七月、月刊誌「心」を創刊。
『岸田劉生』評論（二月、小山書店刊）
『レムブラント』評伝（三月、和敬書店刊）
昭和二十四年（一九四九年）六十四歳　一月、長編『真理《しんり》先生』を「心」に連載。
昭和二十六年（一九五一年）六十六歳　八月、公職追放解除。十一月、文化勲章受章。三鷹市名誉市民となる。
『真理先生』武者小路実篤著作集第五巻（四月、調和社刊）
昭和二十七年（一九五二年）六十七歳　四月、芸術院会員に再選。
『武者小路実篤作品集』全六巻（五月～十二月、創元社刊）
昭和二十八年（一九五三年）六十八歳　十一月、新しき村誕生三十五周年祭を埼玉県の新しき村で開催。
『馬鹿一』（一月、河出書房刊）
『我が生涯を顧みて人生を語る』（十月、青林書院刊）
『空想先生』（十一月、河出書房刊）
昭和二十九年（一九五四年）六十九歳　五月、古稀祝賀会が東京会館で開催される。
『花は満開』短編・戯曲集（五月、角川書店刊）
『徒然草私感』（八月、新潮社刊）
『武者小路実篤集』全二十五巻（十一月～三十二年三月、新潮社刊）

昭和三十年（一九五五年）七十歳　一月、『進化論者』を「心」に、『三匹の鼠』を「群像」に、『ある農家で』を「文芸」に発表。十二月、調布市入間町萩野の新居に移転。
『馬鹿一万歳』（二月、河出書房刊）
昭和三十一年（一九五六年）七十一歳　七月、書下しラジオ・ドラマ『須佐之男命と大国主命』をNHKで放送。
『山谷五兵衛』（三月、河出書房刊）
昭和三十二年（一九五七年）七十二歳　四月、長編『白雲先生』を「心」に連載。
『画をかく喜び』画集・画論（三月、創元社刊）
昭和三十三年（一九五八年）七十三歳　十一月、新しき村の四十周年祭を九段会館で開催。
『生きることはすばらしいことだ』（二月、知性社刊）
昭和三十四年（一九五九年）七十四歳　一月、長編童話『日本太郎』を「婦人公論」に、九月、『馬鹿一の死』を「心」に連載。
『白雲先生』（四月、角川書店刊）
昭和三十五年（一九六〇年）七十五歳　五月、新しき村機関誌「この道」を創刊。
『武者小路実篤選集』全十二巻（十一月〜三十六年七月、日本書房刊）
昭和三十六年（一九六一年）七十六歳　五月、喜寿の祝賀会が目白椿山荘で開かれる。
『ある男の雑感』感想集（一月、実業之世界社刊）
『画と文』（三月、池田書店刊）
昭和三十七年（一九六二年）七十七歳　四月、兄公共死去。十月、『一老人は語る』を執筆。
昭和三十八年（一九六三年）七十八歳　四月より一年間、『あかつき』がNHKテレビで放送される。新しき村の四十五周年祭、神田共立講堂で行われる。
昭和四十年（一九六五年）八十歳　五月、名誉都民となる。八十歳祝賀会が上野精養軒で開催される。
『思い出の人々』を「東京新聞」に連載。
『のんきな男とのんきな造物者』詩集（五月、私家版）
昭和四十一年（一九六六年）八十一歳　二月、「我が愛する書画展」を日本橋三越で開く。
昭和四十二年（一九六七年）八十二歳　一月、自伝『一人の男』を「新潮」に連載。『平平凡凡』を「オール讀物」に発表。三月、『私の美術遍歴』を「うえの」に連載。七月、「心」二十周年記念号を刊行。

昭和四十三年（一九六八年）八十三歳　十一月、新しき村五十周年祭を文京公会堂で開催、自ら講演し、詩を朗読する。

昭和四十四年（一九六九年）八十四歳　十一月、新しき村五十一周年祭を有楽町朝日講堂にて開催。『人生の特急車の上で一人の老人』詩集（三月、皆美社刊）

昭和四十六年（一九七一年）八十六歳　十月、志賀直哉死去。十一月、『或る老画家』を「新潮」に発表。

昭和四十七年（一九七二年）八十七歳　五月、米寿の祝賀会が東京会館で開かれる。『二人の男』（八〜九月、新潮社刊）

昭和五十一年（一九七六年）九十歳　入院中の妻安子を見舞った翌朝一月二十六日、脳卒中の発作で倒れる。二月六日、妻安子死去。四月九日、尿毒症にて死去。

（本年譜は、諸種のものを参照して編集部で作成した。）

武者小路実篤著

友情

あつい友情で結ばれていた脚本家野島と新進作家大宮は、同時に一人の女を愛してしまった――青春期の友情と恋愛の相剋を描く名作。

武者小路実篤著

真理先生

社会では成功しそうにもないが人生を肯定して無心に生きる、真理先生、馬鹿一、白雲、泰山などの自由精神に貫かれた生き方を描く。

亀井勝一郎編

武者小路実篤詩集

平明な言葉、素朴な響きのうちに深い人生の知恵がこめられ、〝無心〟へのあこがれを東洋風のおおらかな表現で謳い上げた代表詩117編。

武者小路実篤著

人生論・愛について

人生を真正面から肯定し、平明簡潔な文章で人間の善意と美しさを表明しつづけてきた著者の代表的評論・随筆を精選して収録する。

武者小路実篤著

お目出たき人

口をきいたことすらない美少女への熱愛。その片恋の破局までを、豊かな「失恋能力」の持主、武者小路実篤が底ぬけの率直さで描く。

伊藤左千夫著

野菊の墓

江戸川の矢切の渡し付近の静かな田園を舞台に、世間体を気にするおとなに引きさかれた政夫と二つ年上の従姉民子の幼い純愛物語。

有島武郎著
小さき者へ・生れ出づる悩み
病死した最愛の妻が残した小さき子らに、歴史の未来をたくそうとする慈愛に満ちた「小さき者へ」に「生れ出づる悩み」を併録する。

有島武郎著
或る女
近代的自我の芽生えた明治時代に、封建的な社会に反逆し、自由奔放に生きようとして敗れる一人の女性を描くリアリズム文学の秀作。

志賀直哉著
和解
長年の父子の相剋のあとに、主人公順吉がようやく父と和解するまでの複雑な感情の動きをたどり、人間にとっての愛を探る傑作中編。

志賀直哉著
清兵衛と瓢箪・網走まで
瓢箪が好きでたまらない少年と、それを苦々しく思う父との対立を描いた「清兵衛と瓢箪」など、作家としての自我確立時の珠玉短編集。

志賀直哉著
小僧の神様・城の崎にて
円熟期の作品から厳選された短編集。交通事故の予後療養に赴いた折の実際の出来事を清澄な目で凝視した「城の崎にて」等18編。

志賀直哉著
暗夜行路
母の不義の子として生れ、今また妻の過ちにも苦しめられる時任謙作の苦悩を通して、運命を越えた意志で幸福を模索する姿を描く。

島崎藤村著

春

明治という新時代によって解放された若い魂が、様々な問題に直面しながら、新たな生き方を希求する姿を浮彫りにする最初の自伝小説。

島崎藤村著

桜の実の熟する時

甘ずっぱい桜の実に懐しい少年時代の幸福を象徴させて、明治の東京に学ぶ岸本捨吉を捉える青春の憂鬱を描き『春』の序曲をなす長編。

島崎藤村著

破戒

明治時代、被差別部落出身という出生を明かした教師瀬川丑松を主人公に、周囲の理由なき偏見と人間の内面の闘いを描破する。

島崎藤村著

夜明け前

（第一部上・下、第二部上・下）

明治維新の理想に燃えた若き日から失意の中に狂死する晩年まで――著者の父をモデルに木曽・馬籠の本陣当主、青山半蔵の生涯を描く。

島崎藤村著

千曲川のスケッチ

詩から散文へ、自らの文学の対象を変えた藤村が、めぐる一年の歳月のうちに、千曲川流域の人びとと自然を描いた「写生文」の結晶。

島崎藤村著

藤村詩集

「千曲川旅情の歌」「椰子の実」など、日本近代詩の礎を築いた藤村が、青春の抒情と詠嘆を清新で香り高い調べにのせて謳った名作集。

室生犀星著 **杏っ子** 読売文学賞受賞

野性を秘めた杏っ子の成長と流転を描いて、父と娘の絆、女の愛と執念を追究し、また自らの生涯をも回顧した長編小説。晩年の名作。

福永武彦編 **室生犀星詩集**

幸薄い生い立ちのなかで詩に託した赤裸々な告白――精選された187編からほとばしる抒情は詩を愛する人の心に静かに沁み入るだろう。

川端康成著 **雪国** ノーベル文学賞受賞

雪に埋もれた温泉町で、芸者駒子と出会った島村――ひとりの男の透徹した意識に映し出される女の美しさを、抒情豊かに描く名作。

川端康成著 **伊豆の踊子**

伊豆の旅に出た旧制高校生の私は、途中で会った旅芸人一座の清純な踊子に孤独な心を温かく解きほぐされる――表題作等4編。

川端康成著 **舞姫**

敗戦後、経済状態の逼迫に従って、徐々に崩壊していく〝家〟を背景に、愛情ではなく嫌悪で結ばれている舞踊家一家の悲劇をえぐる。

川端康成著 **千羽鶴**

志野茶碗が呼び起こす感触と幻想を地模様に、亡き情人の息子に妖しく惹かれ崩壊していく中年女性の姿を、超現実的な美の世界に描く。

新潮文庫最新刊

角幡唯介著

漂流

37日間海上を漂流し、奇跡的に生還しながらふたたび漁に出ていった漁師。その壮絶な生き様を描き尽くした超弩級ノンフィクション。

今野勉著

宮沢賢治の真実
―修羅を生きた詩人―
蓮如賞受賞

猥、嘲、凶、呪……異様な詩との出会いを機に、詩人の隠された本心に迫る。従来の賢治像を一変させる圧巻のドキュメンタリー！

本橋信宏著

東京の異界 渋谷円山町

花街として栄えたこの街は、いまなお老若男女を惹きつける。色と欲の匂いに誘われて、路地と坂の迷宮を探訪するディープ・ルポ。

廣末登著

組長の妻、はじめます。
―女ギャング亜弓姐さんの超ワル人生懺悔録―

数十人の男たちを従え、高級車の窃盗団を組織した関西裏社会〝伝説の女〟。犯罪史上稀なる女首領に暴力団研究の第一人者が迫る。

山口文憲編

やってよかった東京五輪
―オリンピック熱1964―

昭和三九年の東京を虫眼鏡で見る――『昭和天皇実録』から文士の五輪ルポ、新聞記事まで独自の視点で編んだ〈五輪スクラップ帳〉！

群ようこ著

鞄に本だけつめこんで

本さえあれば、どんな思い出だって笑えて愛おしい。安吾、川端、三島、谷崎……名作とともにあった暮らしをつづる名エッセイ。

新潮文庫最新刊

河盛好蔵著
人とつき合う法
ゲーテ、チェーホフ、ヴァレリー、ベルグソンら先賢先哲の行跡名言から、人づき合いの要諦を伝授。昭和の名著を注釈付で新装復刊。

真山仁著
オペレーションZ
破滅の道を回避する方法はたったひとつ。日本の国家予算を半減せよ！　総理大臣と官僚たちの戦いを描いた緊迫のメガ政治ドラマ！

谷村志穂著
移植医たち
臓器移植――それは患者たちの最後の希望。情熱、野心、愛。すべてをこめて命をつなげ。三人の医師の闘いを描く本格医療小説。

一條次郎著
動物たちのまーまー
混沌と不条理の中に、世界の裏側への扉が開く。『レプリカたちの夜』で大ブレイクした唯一無二の異才による、七つの奇妙な物語。

奥野修司著
魂でもいいから、そばにいて
―3・11後の霊体験を聞く―
誰にも言えなかった。でも誰かに伝えたかった――。家族を突然失った人々に起きた奇跡を丹念に拾い集めた感動のドキュメンタリー。

葉室麟著
古都再見
人生の幕が下りる前に、見るべきものは見ておきたい。歴史作家は、古都京都に仕事場を構えた――。軽妙洒脱、千思万考の随筆68篇。

愛《あい》と死《し》

新潮文庫 む-1-3

昭和二十七年九月三十日 発行
平成二十四年四月二十五日 百十五刷改版
令和二年四月十日 百十八刷

著者 武《む》者《しゃの》小《こう》路《じ》実《さね》篤《あつ》

発行者 佐藤隆信
発行所 株式会社 新潮社
郵便番号 一六二―八七一一
東京都新宿区矢来町七一
電話 編集部(〇三)三二六六―五四四〇
読者係(〇三)三二六六―五一一一
http://www.shinchosha.co.jp

価格はカバーに表示してあります。

乱丁・落丁本は、ご面倒ですが小社読者係宛ご送付ください。送料小社負担にてお取替えいたします。

印刷・錦明印刷株式会社　製本・株式会社植木製本所

ISBN978-4-10-105703-3 C0193